東大卒エリートの広く深い学び方

竹内薫
YESインターナショナルスクール
校長・サイエンス作家
理学博士

かんき出版

はじめに

広く深く学んでこそ知識を「自分のもの」にできる

１００年に一度の大変革期……。いわゆる「生成ＡＩ」が驚異的な進化を遂げて、私たちの学び方や働き方がまさに激変しようとしています。

さらに２０２４年は、その動きが加速しそうな勢いになっています。

なかでも、世界に衝撃を与えたのが、アメリカのベンチャー企業「OpenAI」が生み出した対話型ＡＩ「ChatGPT」です。ユーザーが入力した質問に対して、まるで人間と話しているかのような自然な言葉によるやりとりが可能なため、世界中で急速に利用者が増え続けています。

このChatGPTの出現により、教育やビジネスのあり方まで、大きく変わろうとしているのです。

未来学者で、人工知能研究の世界的権威でもあるレイ・カーツワイルは「シンギュラリティ（技術的特異点）」について、人間の脳と同じレベルのＡＩが誕生するのは２０４５年だと、著書『シンギュラリティは近い 人類が生命を超越するとき』（ＮＨＫ出版）で予見しました。

ところが、生成ＡＩの誕生によって、シンギュラリティは予測よりも早くその到来を迎えようとしており、私たちはいま、瞬く間に学び方や働き方が激変する「ＡＩ革命」のまっただ中にいるというのです。

こうした「進化系」ともいえるＡＩが誕生した現在、私たちの学び方や働き方に変化の兆しが見られます。

すでに教育やビジネスの現場でも大きな話題となっている ChatGPT ですが、野村総合研究所が２０２３年5月に発表した「日本の ChatGPT 利用動向（２０２３年４月時点）調査」では、職業別に見た ChatGPT の利用率が明らかになりました。

次ページのグラフをご覧ください。

このグラフで私が注目したのは、教育とビジネスの現場による ChatGPT の利用率が非常に高いことです。

やはり、ChatGPT の誕生によって従来の学び方や働き方に大きな変化の波が押し寄せていることがうかがえます。

ただ、こうした変化に戸惑っている人も少なからずいるようです。

職業別に見たChatGPT利用率

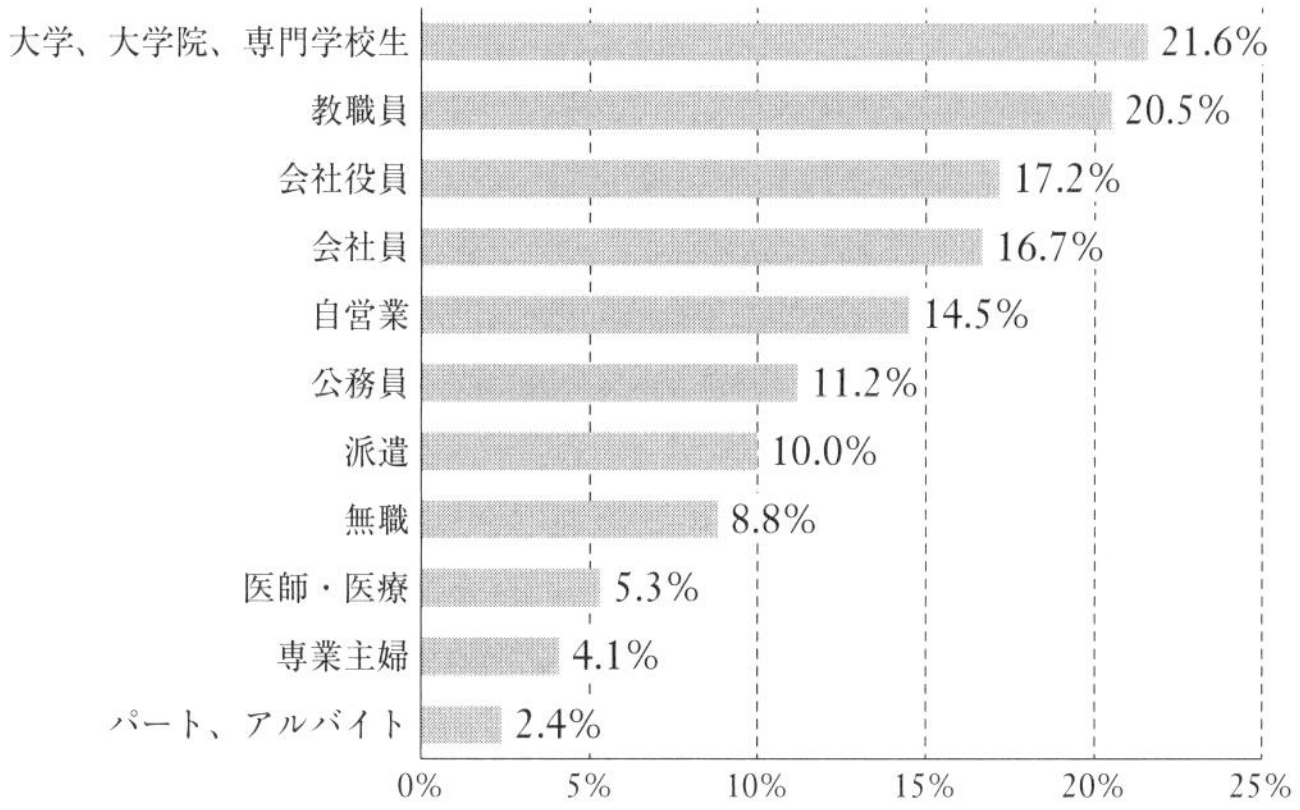

出所：野村総合研究所のデータをもとにかんき出版が作成

それは日本だけでなく、いまでは世界中の大学が学生たちのためにChatGPTの利用ガイドラインを作成していて、レポート作成時などの利用を禁止する大学も出てきています。

日本では、たとえば上智大学が教員の許可なく生成AIが作成した文章や計算結果をレポート作成に使うことを禁じており、もし違反が確認された場合は厳罰に処すという通達を発表しています[1]（2023年3月時点）。

またビジネスの現場においても、ChatGPTの利用における情報漏洩《ろうえい》や著作権違反といった問題について、どのように解決していくかの対策に追われているようです。

このあたりは、いかにも日本的な問題解決に対する発想だといえますが……。

働き方が激変するＡＩ時代の学び方とは？

その一方で、こうした新たなテクノロジーの台頭により、私たちに突き付けられた問題も浮かび上がってきました。

「ＡＩ時代に求められる学び方とは？」

「ＡＩ時代に求められる働き方とは？」

少なくとも私のまわりでは、こうした議論がすでに熱を帯びています。

私は東京大学の教養学部教養学科、理学部物理学科を卒業後、カナダにあるマギル大学大学院で博士課程を修了したのち、サイエンス作家として科学の面白さを世に伝えています。

そのほかにも、NHKのテレビ番組『サイエンスZERO』のナビゲーターやTBSテレビ『ひるおび！』コメンテーターを務め、さらにはラジオに出演したり、全国各地で講演を行ったりと、幅広い領域で仕事をしてきました。

そしてもう1つ、国語と英語、プログラミング言語の「トライリンガル教育」に力を入れるYESインターナショナルスクールを開校し、校長として教育の現場にも携わっています。

こうしたさまざまな活動を通して、100年に一度の大変革期ともいえるこれからのAI時代に活躍できる人材になるには何が必要なのか、私たち人間に求められる学び方や働き方とは何なのか、について考えを巡らせています。

そのキーワードの1つは「リスキリング（Reskilling）」であると私は考えています。

私が考えるリスキリングとは、テクノロジーの発展やビジネスの変化に対応するために、絶えず新しい知識やスキルを学び身につけることです。

これこそ、AI時代を生き抜くために必要なサバイバルスキルといっても過言ではありません。

リスキリングが注目を集めるきっかけとなったのは、2020年にスイスのダボスで開催されたダボス会議で、「リスキリング革命（Reskilling Revolution）」というものが発表されたことでした。[2]

リスキリング革命とは、第4次産業革命による変化に対応した新たな知識やスキルを獲得するために、2030年までに新たな教育や仕事を10億人に提供することを目指すというものです。

ではなぜ、このようなリスキリングがAI時代に求められる学び方なのか？

その答えは、いたって単純です。

AIをはじめとするデジタル技術の発展に伴い、ビジネスモデルやサービスのあり方が大きな変化を遂げているからです。

そうしたなかで、AIに関連する新たな職業が生まれ、デジタル技術を取り入れた新たな仕事の進め方や働き方へと大幅にシフトする職業も少なくありません。

これからの環境変化に適応するためにも絶えず新たなスキルを習得すること、すなわちリスキリングが必要だと考えられるからです。

30年前であれば、偏差値の高い学校に入り、一流と呼ばれる企業に就職するというのが成功パターンでしたが、いまではそうした神話は崩れ去ろうとしています。

ChatGPTに代表される生成ＡＩの誕生により、暗記することで得られた知識では太刀打ちできなくなっているからです。

もちろん、最低限の知識は必要ですが、暗記して覚えることはＡＩのもっとも得意なことですから、もはや私たち人間にとっては重要ではなくなっているのです。

本書で詳しく解説する「思考センス」を磨いて、「身体性の獲得」によって「自分のもの」にした知識をもとに、「それらの知識やスキルを使って何をするのか？」という応用的な活用法が重要になっているのです。

これからの働き方に求められるリスキリングとは？

ここ数年、「リスキリング」についての書籍を目にする機会が増えました。

そうした書籍を手に取ってめくってみると、リスキリングの必要性について「ＤＸ（デジタルトランスフォーメーション）に対応できるようにデジタル技術を学び直すため」といったことが主に書かれています。『自分のスキルをアップデートし続けるリスキリング』（日本能率協会マネジメントセンター）など、多くのリスキリングに関する書籍がそのように説いています。

たしかに、こうした考え方も間違いではないでしょう。

ですが、私の考えるリスキリングは少し捉え方が違います。

たとえば経理の仕事をやっている人が、かつては紙と鉛筆で帳簿をつけていたのを現在はコンピュータで入力する、といった違いではないということです。

また、「いまはプログラミングくらい書けないとね」と、一からプログラミングを学ぶことをおすすめしたいのでもありません。

デジタル技術やプログラミングをどれだけ必死で学んだとしても、付け焼き刃では急速に発展するＡＩには太刀打ちできないのは明白だからです。

ＡＩ時代もそれ以前も、学びで大切なことは変わらない

私がこの本で伝えたいリスキリングの本質とは、興味のあることや好奇心を抱いていることに対して、身体的に広く深く学んで知識を「自分のもの」にすることで、どんな環境変化にも対応できるオリジナリティを発揮することです。

「この分野だったら誰にも負けない」という、いわばオタク的な知識やスキルを身につけていくことこそ、AI時代にもそれ以前にも、変わらず求められる学び方であり、そのことが皆さんの働き方へとつながっていくと思うのです。

ここからは、私自身が学びのなかで気づいたことや大切に思うことについて、要点をご紹介します。詳細は、第1章から順に本書をお読みください。

▼学びでもっとも重要なことは「好奇心」

興味を持って学ぶことがもっとも重要であり、効果的だということです。

詳しくは後述しますが、私は、小学3年生のときに父親の転勤でアメリカのニューヨークの小学校に入学したとき英語がわからずビリに、そして日本に帰国したときは漢字がわからずまたもビリを体験しました。二度のビリ体験です。

ただし、それぞれの学校生活で私を救ってくれたものがあります。1つはニューヨークの小学校での美術のプロジェクト型学習法で、もう1つは日本の小学校での科学教室でした。

当時、ビリだった私は絵を描くことが好きで、科学も大好きでしたから、できなかった英語や漢字のことを忘れてのめり込むことができました。そして、少しずつ自信を取り戻し、好きなことを学ぶ楽しさを知ることができたのです。

学びの原点となるのは「好奇心」だと実感できる原体験でした。

▼自分に合う勉強法と学習リズムの発見

ビリを抜け出したあとも勉強を続けてはいましたが、簡単には成績は上がりませんでした。そこに救世主が現れます。伯母が買ってくれた参考書とドリルです。

参考書とドリルでひたすら手を動かして何度も問題を解くという勉強を続けていたところ、伯母が今度はノートの取り方に関する参考書を買ってくれました。

おかげで、ノートの余白をうまく使いながら予習と復習をするという習慣を身につけることができ、これらによって自分に合う勉強法を見つけられました。

自分に合う勉強法の発見は、高校と大学の受験を独学で乗り越える原動力にもなりました。受験で大切なのは、情報を収集して出題傾向を確認して勉強の計画を立てること、さらに計画した勉強を続けていく学習のリズムを獲得することです。私は、この2点を確実に実行できたからこそ、二度の受験を乗り越えられたと思っています。

▽「深掘り学習」と「融合学習」が持つ可能性

私の出身校である筑波大学附属高校の独特な授業で教えられた2つの学びが、私の知識の幅と奥行きを大きく広げてくれました。

あとで紹介しますが、当時の筑波大学附属の授業は、カリキュラムそっちのけで1つのテーマや人物を掘り下げて、そこからさらに周辺の関連事項に展開していくというスタイルでした。当初は戸惑いもしましたが、高校生で得た深掘りして横断的に学んでいくという体験は、後に大学・大学院、さらには社会人になっても勉強を続けていくうえで、自分の「学びの型」につながっていったものと思います。

その一方で、暗記力を駆使して東大に合格した同級生の多くは、学ぶことに迷いながら遊びに逃げてしまいました。周囲を見回しても、深掘りして融合的に学んでいくスタイルを確立している人は、大人になっても学びを続けています。

深掘り学習と融合学習は、幅広い知識を重視する大人の学びに欠かせない勉強のスタイルですので、皆さんにも役立てていただけることを期待しています。

AIとのかけ算で考えるリスキリング

よくいわれるAI時代に取り残されないようにするためのリスキリングは、私の考えるそれとは異なります。むしろAIをうまく利用して、自身の好奇心のおもむくまま、子どもの頃に好きだったものを思い返し、興味があるものを対象にして絶えず学びを続けていくことが、リスキリングで大切なことだと考えています。

焦ってプログラミングなどのデジタルスキルを学ぶのではなく、自身の好奇心や興味を大切にして、知識を獲得・拡大し続けるリスキリングに取り組んでください。

学びにおける「思考センス」と「身体性」の獲得

この2つのことが知識を「自分のもの」にしていくうえで欠かせません。

思考センスは、たとえば自然な日本語の文章をつくる言葉選びや、英語でニュアンスを伝えるときに役立つのですが、このことはAIを活用する際にも大きなかかわりがあります（詳しくは第5章参照）。

さらに、人が知識やスキルを学ぶときは、手を動かして文字を書いて覚えるのが大事というように、身体の動きを伴うことで知識を「自分のもの」にできるようになります。これからの学びでは、暗記ではなく身体性を伴う知識の習得が非常に重要です。いったん覚えた知識やスキルを長期的なもの、一生ものに変えることができるからです。このことはＡＩ活用によるリスキリングにも役立ちます。

▼これからの社会を生き抜くための学びの「羅針盤」

仕事だけでなく日々の生活でも、生きていれば数多くの失敗をしたり、困難に遭遇したりします。その一方で、皆さんには希望や夢、やりたいことがあるはずです。

そこで学びの羅針盤と称して、失敗の経験を書き換えることで明るい未来に向けた挑戦を続けることの大切さを思い出し、未来を考えるうえで参考になるエピソードを紹介しています。本書の最後で、学びの方向性をあらためて確認してください。

やりたいこと、学びたいことが、皆さんにもきっとあるはずです。

皆さんが興味のおもむくままに、学びを突き詰められることを切に願っています。

竹内　薫

東大卒エリートの広く深い学び方　目次

はじめに　▼広く深く学んでこそ知識を「自分のもの」にできる　3

働き方が激変するＡＩ時代の学び方とは？　6
これからの働き方に求められるリスキリングとは？　9
ＡＩ時代もそれ以前も、学びで大切なことは変わらない　10
学びでもっとも重要なことは「好奇心」／自分に合う勉強法と学習リズムの発見／「深掘り学習」と「融合学習」が持つ可能性／ＡＩとのかけ算で考えるリスキリング／学びにおける「思考センス」と「身体性」の獲得／これからの社会を生き抜くための学びの「羅針盤」

第1章

二度のビリ体験で気づいた「好奇心」こそが学びの原点

▼ニューヨークの小学校でいきなり「ビリ」を体験　24
▼日本に帰ってからまたも「ビリ」で不登校に！　28
▼不登校を脱却できたのは科学の面白さを知ったから　32
▼難関校への合格は「自分に合う勉強法」を見つけたからこそ　36
▼盟友・茂木健一郎が提唱する「強化学習サイクル」の活用　40
▼「正解のない時代」にはプロジェクト型の学習法が使える　44
▼筑波大学附属高校で学んだ「深掘り学習」の大切さ　48
▼授業で学んだ科目の垣根を越えて横断的に学ぶ
「融合学習」の効果　52

第2章

独学で東大に合格してわかった受験対策と学びの本質

▼現役での東大合格は受験対策と勉強のリズムができたから 58
▼決め手は勉強を始める前の情報収集と出題傾向の対策 62
▼もし中学生だったら、こんなふうにして東大合格を目指す 66
▼人よりいい大学という志望校選びが学びを失速させる 70
▼東大教養学部で実感したゆっくり学ぶことの大切さ 74
▼好奇心を持って学ぶから広く深く知識を拡張できる 80

第3章

深掘り学習×融合学習で知識の幅と奥行きを拡張する

▼数学と物理は暗記ではなく計算で飛躍的に理解が深まる 86
▼国語と数学に共通する「論理」を学ぶとどちらも解ける 92
▼数学と科学を融合的に学習すると推論力が鍛えられる 98
▼英語と国語を融合的に学ぶとコミュ力が上がる 102
▼ラテン語を少し勉強しておくだけで英語学習がラクになる 108
▼神話と宗教をひとつながりで学ぶと知識の幅が拡大する 112
▼科学を突き詰め「ヒッグス粒子」と「超ひも理論」を学ぶ 116
▼脳科学と心理学の深掘りと融合的な学びが導いてくれる領域 120
▼科学や芸術の原点をたどると知識の幅と奥行きが広がる 124
▼融合学習を加速させるのはＡＩ活用によるリスキリング 128

第4章

AIとの融合学習が「知識の獲得」を加速させる

▼労働者の約半分がAIに仕事を奪われる時代の到来!? 134
▼AIの普及に怯える前に基礎的なことを知って準備する 138
▼「ChatGPT」は学びの救世主か悪か？　それとも両方か？ 142
▼いかに裏づけできるかがAIを使ううえで必要なこと 146
▼リスキリングで目指すかけ算は「興味×AI」 152
▼誰にでも見つかる、好奇心とAIのかけ算によるリスキリング 156
▼英語とAIの融合学習で大切なのは論理的な日本語の表現力 160
▼AIを活用して自分の考えやアイデアを世に送り出す 164

第5章

「思考センス」と「身体性」が知識を一生ものの「知力」に変える

▼「自分のもの」になっていない日本語は不自然で読みにくい 170
▼翻訳だと気づかないほど自然で読みやすい言葉を選ぶ思考センス 174
▼わかりやすい言葉選びの意識が言語の思考センスを高める 178
▼古典芸術とイタリア語の学びで磨かれた思考センス 182
▼知識は「身体的に獲得」してこそ「自分のもの」にできる 186
▼学びの身体性を獲得するには「耳」のトレーニングが最適 192
▼身体性で最終的に到達したい「自分ならではの自由な即興」 196

第6章

未来をしっかり生き抜くための「学びの羅針盤」を手に入れる

▼「夢×ロールモデル」の融合学習で挑戦し続ける心を鍛える 202
▼失敗のフィードバックを蓄えてたくましく立ち直る 206
▼NASAの共通認識は「失敗は起こってしまうもの」 210
▼1%のファンのためにカメラをつくるペンタックスの挑戦 214
▼好きな分野を見つけて誰よりも「オタク」であり続ける 218

編集協力　神原博之（K．EDIT）
本文デザイン・DTP　マーリンクレイン

第1章

二度のビリ体験で気づいた「好奇心」こそが学びの原点

ニューヨークの小学校でいきなり「ビリ」を体験

高校は、日本屈指の進学校である筑波大学附属高校を卒業。

大学は、東大の教養学部と理学部をそれぞれ卒業。

その後、カナダの名門マギル大学大学院で博士課程を修了。

このように私の学歴を紹介すると、「あー、竹内さんは順調にエリートコースを歩んできた人なんだ〜」と思われるかもしれません。

たしかに、高校と大学で私の同級生だった友人たちの多くは、小学生のときからずっと成績優秀で常に学年トップクラスだったようです。

でも、私は違います。どちらかといえば落ちこぼれの生徒で、クラスでビリを争っていました。

しかも、ビリになった体験は一度だけではありません。

そこで、恥ずかしながらまずは私のビリ体験からお話ししていこうと思います。

まず、最初のビリ体験は、小学3年生のときでした。

父親の転勤で急きょニューヨークで暮らすことになり、いきなり現地の小学校に通うはめになったのです。

いまでこそ、ニューヨークのあちこちに日本人学校がありますが、私が行った1970年頃は、現地に日本人学校などなかった時代でした。

記憶をたどると、クラスにはいろいろな人種の子どもたちがいたことを思い出します。なかには、私のように英語ができない子も何人かいました。

クラスでは、英語ができて成績優秀なアメリカ人の白人グループと、私のように英語ができない成績ビリのグループに分かれていました。

当時の私は小学3年生だったこともあって、英語が話せないばかりか「ABC」のアルファベットすら覚えていませんでした。

当然、すべてが英語で進んでいく授業にはまったくついていけず、成績はクラスの中でもビリ。そればかりか、学年全体でもビリという状況でした。

「先生が黒板に書く英語がまったく理解できない……」

そんな日々が続いていましたが、焦る私をよそに先生はおかまいなしに淡々と授業を進めていきます。

そこで、私は考えました。とりあえず先生が黒板に書いた英語を必死でノートに書き写し、家に帰ってから父親に翻訳してもらおう、と。

これらを続けることで、少しずつですが黒板に書いてある英語の意味がわかるようになっていきました。それでも子どもの私にとって、英語ができないことで成績がビリというのはつらいことでした。

ですから、まさに死に物狂いで英語を勉強し始めました。

日本の小学校でも、現在では英語の授業がありますが、私からすれば「必要に迫られていない」なかでの英語の勉強に、必死さは生まれないのではと思います。

私の場合は「英語ができなければ授業についていけない」という危機感や、「そもそも英語ができなければ生活にも支障が出る」という状況が、私を英語の勉強へと駆り立てたのです。そして猛勉強の甲斐《かい》があってか、ニューヨークに来て半年が経った頃には、英語をある程度は理解できるようになっていました。

英語を少し理解できるようになったことで、気づいたことがあります。

それは、私がほかの子どもたちよりも算数ができたことです。

それはなぜか。日本とアメリカの算数教育の違いがあったからです。

その1つが、「かけ算の九九」です。

日本の学校では、ほぼ例外なく九九を小学2年生で習いますが、アメリカの学校では九九を教えません。私は日本で九九を覚えてからアメリカに行ったので、ほかの子どもたちよりも格段に速く計算ができたのです。

さらに、英語が少しずつ理解できるようになったことで、算数の文章問題も解けるようになり、算数だけは学年でトップになりました。

するとクラスメートから「カオルはすごい特殊能力を持っている！」と褒められたり、クラスで成績優秀な白人グループにも認められたりする存在へと変わっていきました。さすがは、実力第一主義のアメリカです。

「どんなことでも、人より抜きん出た武器があれば認められるんだな」

これが、私がこのとき学んだことでした。

日本に帰ってからまたも「ビリ」で不登校に！

いまになってあらためて思うのは、日本とアメリカの授業の違いについてです。

日本の小学校で「国語」の授業があるように、アメリカの小学校には「英語」の授業がありました。

日本の国語の授業では生徒たちの日本語のレベルにそれほどの差はありませんが、アメリカの英語の授業では生徒たちの英語のレベルに大きなばらつきがありました。

最初はまったく英語ができなかったので、私は英語の授業のたびにレベルが一番低いクラスに移動して授業を受けていました。

ですが先ほどもお伝えしたように、次第にレベルの高いクラスで英語の授業を受けられるようになり、英語を理解できるようになってからは、アメリカの学校での授業を楽しく受けることができるようになりました。

得意の算数の授業では、先生が黒板に書いて授業をするだけでなく、それぞれのレベルに合わせた小冊子タイプのドリルを利用して、生徒ごとに進めていました。問題を解いていてわからないところがあれば先生に質問するといった、課題発見・解決型の授業が中心だったと記憶しています。

私が特に好きだったのは、いま日本でも注目されている「プロジェクト型」の授業でした。

当時は「プロジェクト型」と呼ばれていなかったかもしれませんが、その授業は生徒たち自身がテーマなどを設定して、課題を発見・解決していく形式でした。

いまでも強く印象に残っているのは、地域の芸術家の先生が週に1~2回、学校に来てくれて美術の特別授業をしてくれたことです。

選抜された生徒しかその特別授業を受けられなかったのですが、幸運にも私は選ばれました。どのようにして選んだのかその基準はわかりませんが、おそらく先生が私の図画工作の作品を見て選んでくれたのでしょう。

その授業内容は、

「とにかく自由に好きな絵を描いていいわよ」

というものでした。

絵の描き方を教えるといったレクチャー形式ではなく、生徒が好きな絵を描いて、先生が講評して、「じゃあ、次は何を描きたい?」といった感じで進むのです。

あるとき、芸術家の先生が私に「カオル、キミは絵のセンスがあるわね。このまま絵の勉強を続ければ、中学に進むときには奨学金がもらえるかもしれないわよ」と言ってくれたことを、いまでもはっきりと覚えています。

私はそのとき、「あー、もしかしたら芸術家になれるのかもしれない」と自分の将来を何となく想像したものです。

そうして、アメリカの生活にも英語にも少しずつ慣れて日々が充実していました。

そんな矢先、父親から日本に戻ることを告げられました。

私の芸術家への道は、ここで途切れることになったのです。

帰国後、小学5年生で都内の公立小学校に転入した私を待ち受けていたのは、「漢字」というまたも大きな言葉の壁でした。

私がニューヨークにいた当時は日本人学校がなかったと述べましたが、現地の小学校に通っていた私はとにかく英語の勉強をすることで手一杯でした。

そのため、漢字の勉強をいっさいしていなかったのです。

日本の小学3年生から5年生といえば漢字をたくさん習う時期です。それなのに漢字をほとんど習得できていない私は、当然ながら授業についていけません。

成績はまたもビリになり、学校に行くのがつらくなって、次第に不登校に陥ってしまいました。毎朝、何かしらの仮病を使っては、「今日は学校を休みたい……」と親に頼んでいました。

両親はきっと、私が仮病を使っているということをわかっていたのだと思います。

私がもがき苦しんでいるのを知っていたから、「何を言っているの。学校へ行きなさい！」とは言わずに、温かく見守ってくれました。

あのとき無理に学校に行かされていたら、ひょっとすればいまの私は存在していなかったかもしれません。

そんな引きこもりだった私のことを気にかけてくれたのが、担任の先生でした。

その先生はいわゆる「科学畑」の教師で、地域の子どもたちのために「科学教室」のようなものを開設していて、その科学教室に私を迎え入れてくれたのです。

そこから私の小学校生活が変わっていきました。

不登校を脱却できたのは科学の面白さを知ったから

私が通いはじめた科学教室は、クラスの中で成績がトップの子だけが参加するような教室でした。それなのに、担任の先生はクラスの中で成績がビリだった私を入れてくれたのです。

帰国子女だった私は漢字が苦手で、話す日本語の言葉もあやしかったにもかかわらず、なぜその科学教室に入れてくれたのか？

いまでも時々、当時のことを考えることがあります。

これは私の想像にすぎませんが、私が算数や理科が好きなことを見抜き、自分の得意科目で成長できるならばと、考えてくれたのかもしれません。

そう思うと、感謝の気持ちしかありません。

実際に科学教室に通ってみると、担任の先生が考えてつくったカリキュラムはワクワクするようなものばかりでした。

星座を観察したり、小動物の生態を観察したり……。それはまさに当時、日本の学校の授業にはなかった「プロジェクト型」の学習でした。

「あー、科学ってこんなに面白いんだ！」

不登校だった私をそんなふうに、それまで味わったことのなかった気持ちにさせてくれたのが科学だったのです。

科学を通じて、私は次第に学校に通えるようになり、学校生活にも馴染《なじ》めるようになりました。さらに、科学教室や学校で科学の好きな子たちと仲良くなり、科学に関する本を読み漁り、それとともに漢字も覚えられるようになっていきました。

これが、私の人生における最初の「融合学習」だったのかもしれません。

おそらく、担任の先生はそうしたことを期待して私を科学教室に誘ってくれたのでしょう。いずれにしても、科学との出合いが私の人生を一歩も二歩も前進させてくれたことはたしかです。しばらくすると必修漢字もすべて覚えきり、アメリカ生活の2年間のブランクを取り戻すことができました。

やっとビリから脱出したものの、中学校に入るくらいまでは成績がよかったというわけではありません。どんなに必死で勉強しても、クラスで真ん中くらいの成績を取るのがやっとでした。

私が中学1年生だったあるとき、だったと思います。

そんな私を見かねてなのか、当時小学校の教師をしていた伯母が学習教材を2冊買ってくれました。たしか『自由自在』という参考書と、いまはもうないかもしれませんが『トレーニングペーパー』というドリルです。特にトレーニングペーパーは、イラストがたくさん入っていて、楽しく勉強できるものでした。

それからは、もらった参考書とトレーニングペーパーを使って、主に算数と国語の予習と復習をするようになりました。

しばらくして予習と復習の習慣が身についた頃、勉強中にふと気づいたことがあります。私は視覚的な勉強が苦手なのではないか……と。

私たちは普段、五感を使って物事を理解しています。

「目で見たほうが覚えやすい」という視覚優位タイプや、「音を耳で聞いたほうが覚えやすい」という聴覚優位タイプなど、人によって得意な方法が異なります。これは勉強も同じ。勉強の方法によって、理解力や記憶力に差が出ることがあるのです。

私の場合は、音を耳で聞いたほうが覚えやすい聴覚優位タイプでした。

たとえば$\sqrt{2}$（ルート2）を覚えるとき、「一夜一夜に人見ごろ（ひとよひとよにひとみごろ）」と語呂《ごろ》合わせで覚えたりしますが、このように音で覚えるほうが自分に合うと気づいたのです。

その後は自分で「微分積分」の公式を「上ポンマイナス下ポン」といった語呂や音を勝手につけて、覚えたりするようになりました。

ずっとあとになって知ったことですが、多くの天才数学者も、公式に自分が好きな音をつけたり、何か道具を使ったり、なかには勝手に記号をつくったりして覚えていたようです。

伯母からもらった参考書とトレーニングペーパーを使ってひたすら予習と復習を繰り返し、さらに自分に合う勉強法に気づいて暗記に活用したりして学習するうち、私の成績は徐々に上がっていきました。

そして中学2年生になったとき、成績で学年トップになったのです。

難関校への合格は「自分に合う勉強法」を見つけたからこそ

伯母からもらった参考書にもトレーニングペーパーにも、何か特別な成績アップの秘訣のようなものが書かれていたわけではありませんでした。

基本的な予習と復習のやり方といった、ごく普通の勉強法について書かれていただけだったと記憶しています。

では何が、私の成績を短期間で学年トップまで押し上げてくれたのか？

それは、自分に合う勉強法を見つけることができたことが、一番の要因だったのだと思います。

「頑張っているのに成績が上がらない……」

「そもそも勉強が面白いって思えない……」

そんなふうに感じている人がいるなら、それは自分に合わない勉強のやり方をしているからかもしれません。

まず理解しておいてほしいのは、勉強法は人それぞれであって、万人に共通する正解はないということです。

私の経験からは、「この勉強法がおすすめ」や、逆に「この勉強法では意味がない」などというものは、ほとんどないといっても過言ではありません。

自分に合う勉強法を探す秘訣は、まわりの意見に流されず、あくまで「自分に合う勉強法を見つけよう」という気持ちを持つことだと思います。

「勉強が苦手」「勉強が嫌い」という人は、おそらく親や先生などまわりから言われて勉強しているのではないでしょうか。

そのような受け身の姿勢ではなく、自分に合う勉強法を探り、工夫しながら見つけるのが理想。試行錯誤を重ねてこそ、自分に合う勉強法が見えてくるものです。

そのためには、まずはいろいろと試してみることが大切です。

私の場合は、先生が板書した文字を見ながら理解するより、自分のペースで知識を得ていくタイプなのだと気づきました。そう、「プロジェクト型の勉強法」です。

この勉強法が自分に合うと気づいてからは、面白いほど成績が伸びていきました。

自分に合う方法で勉強すると学ぶことが楽しくなっていき、難なく継続できるようになって、成績が上がっていったのです。

もう1つ、伝えておきたいことがあります。

伯母が、またしても参考書を買ってくれたのです。まさに、「困ったときの神頼み」ならぬ、「困ったときの伯母頼み」といったところでしょうか。

その参考書は「ノートの取り方」についての本でした。

本のタイトルはもう忘れてしまったのですが、勉強時のノートの取り方について詳しく解説していました。

伯母はきっと、私のノートの取り方を見て、「あらあら、こんなぐちゃぐちゃにノートを取って……。これはダメだ！」とでも思ったのでしょう。

私はその本を読んで、

「ああそうか、みんなはこうやってきれいにノートを取っているんだ」

と初めて気づいたのです。

以来、その本を活用して、メモした重要箇所に線を引いたり、覚えようと思ったところに小見出しをつけたりして、整理しながらノートを使うようにしました。

もう少し付け加えると、授業中は単にノートを取るだけではなく、あらかじめ少しスペースを空けておいてあとからそこに資料を貼ったり、重要なポイントを書き込んだりと、見た目でもわかりやすいノートの取り方をするようにしました。

こうしたノートの取り方は予習や復習をするときにも役立ちます。

あらかじめノートを見やすく整理しておくと、授業のときはその日に教わる内容を事前に予習しているので理解が深まります。さらに復習で見返すと、確実に記憶に残るようになりました。

授業でいきなり先生が新しい内容を教え始めたとしても、「あれ、そういえばこの内容はノートを整理するときに教科書に書いてあったな」とか、「トレーニングペーパーのあそこにあったな」という感じで、記憶を呼び起こしながら関連づけをして授業を受けられるようになりました。

復習をするときは、あらかじめ用意したノートの余白部分に授業で習った重要なポイントを記入しておき、テスト前も余裕を持って勉強できる習慣が身につきました。

自分に合う勉強法を見つけられた私は、二度のビリを体験したにもかかわらず、当時、難関校として知られていた筑波大学附属高校と開成高校に合格することができたのです。

盟友・茂木健一郎が提唱する「強化学習サイクル」の活用

「学ぶということは、脳にとってもっともうれしいこと」

これは、東大の物理学科で出会った私の盟友・茂木健一郎の言葉です。

茂木は、東京学芸大学附属高校を経て東大の理学部に進学したのですが、そのあと法学部に編入学したので私とは逆のパターンでした。

いまでは世間を騒がせることも多い茂木ですが、当時の印象は黙々と努力するタイプでした。そんな茂木は、自分に合う勉強法を見つけた受験勉強の勝ち組みの代表格だといえるでしょう。

ここで皆さんにお伝えしたいのは、冒頭の言葉の意味についてです。

これがどのようなことなのか、説明していきたいと思います。

以前、茂木と食事をしていたときに、「受験は楽しかった」「東大受験は楽勝だった」などと彼がしきりに言っていたことがありました。

世間では、「受験はつらい」と思われがちです。

それなのに、なぜ茂木は「受験は楽しい」と思えたのでしょうか。

これこそが、冒頭の言葉の真意です。

ベストセラーとなった茂木の著書『脳を活かす勉強法』（PHP研究所）でも解説されていますが、脳には「ドーパミン」という神経伝達物質があります。ドーパミンは、うれしいことや楽しいことがあると放出される有名な脳内物質です。

たとえば、私のようにカメラが好きな人間が、美しい構図の写真を撮ることができればドーパミンが出ます。脳内では、このとき「ドーパミンが出る前に行われていた行動（この場合は写真を撮ること）が強化される」ということ、つまり茂木の言う「強化学習」というものが起こるのです。

この仕組みは、勉強でも同じです。

たとえば、「算数の問題を解くことができた」→「ドーパミンが出る」。

すると、算数の問題を解くということが脳の中で強化されます。

脳の中で強化されると、「もっと算数の問題を解く」→「ドーパミンが出る」→「強化される」→「もっと算数の問題を解きたくなる」というように、どんどん算数の問題を解くという行動が強化されていくのです。

たいていの場合、算数が苦手という人は単に強化学習のサイクルが回っていないだけのようです。

皆さんにも得意・不得意があると思います。

ですが、得意・不得意というのは生まれつきのものではありませんし、その人の性格と関係するものでもありません。たまたま強化学習のサイクルが回っていなくて苦手に思っているだけなのです。

まずは小さなステップを積み重ねることです。

他人と比較して、自分は劣っているなどと考えて焦る必要はまったくありません。

どんなにわずかな改善でも、自分にとっての進歩であれば、脳はそれを「うれしいこと」「楽しいこと」として処理し、ドーパミンが出て強化学習のサイクルを回すことにつながっていきます。

強化学習のサイクルは、最初の1~2回を回すのがものすごく大変なのですが、調子が出ていったん軌道に乗ると、あとは勝手に回ってくれます。

焦らずマイペースで好奇心を持って取り組んでいけば、気づかないうちに大きな進歩になっていく。茂木は、そう述べています。

そしてもう1つ。強化学習を回すヒントとして、取り組む課題の難度が低すぎても高すぎても、ドーパミンはうまく出ないということがあります。難度が低すぎると脳がなまけてしまい、逆に高すぎるとやる気が起こらないからです。

ちょうどいい難度で取り組むのがポイントです。

理想的には、全力で取り組んでやっと越えられるようなハードルがあると、そのハードルを越えたときにもっともドーパミンが出るようです。

問題は、どうすれば自分に合う難度を見つけられるのかでしょう。

何かの試験を受けるなら、自分の実力に合う教材を選んで、楽しみながら勉強してはどうでしょうか。無理やりに勉強を習慣にしようと考えるよりも、私が伯母からもらって時間を忘れるほど取り組めたトレーニングペーパーのように、「なんか楽しそうだな」と思う参考書や問題集を選ぶことから始めてみてください。

似たような参考書の中から選ぶにしても、自分が楽しめるかどうかを優先して、自分に合う参考書を選んでみてほしいと思います。

「正解のない時代」にはプロジェクト型の学習法が使える

「なぜ、開成高校に進学しなかったのですか？」

時々、そんなことを訊かれることがあるのですが、答えは単純。開成は私立なので学費が高かったからです。

私の家はごく普通のサラリーマン家庭だったため、親の負担を考えれば筑波大学附属高校は国立なので学費が格段に安かったということです。

いまはそれほど学費に差はないのかもしれませんが……。

私の高校受験には、ちょっとしたこぼれ話があります。

実際に私が受験したのは4校で、筑波大学附属と開成のほかに、東京学芸大学附属高校と武蔵高校も受験していました。

ところが、学芸大学附属と武蔵は落ちてしまったのです。

しかも、学芸大学附属にいたっては1次試験で落ちてしまいました。

のちに自分で分析した際に、あることに気づきました。

それは、学習塾に通わず、独学で自宅学習をしていた私にはいくつもの「弱点」があったということです。

学習塾に通って勉強すると、試験に出る問題を解くテクニックを中心に勉強のやり方を教えてもらえます。学習塾が用意してくれた問題をたくさん解いていくことで、自分に足りない部分や弱点を万遍なく克服できるようになります。

ところが私の勉強法は、独学で好きなことを深掘りして勉強するプロジェクト型でしたので、学びの「偏り」みたいなところがあったのです。

学芸大学附属と武蔵の受験では、たまたま、そうした私の弱点をつく問題が出題されてしまったということでしょう。

それなら私も、学習塾に通って万遍なく試験問題を解ける受験勉強のスタイルを身につけておけばよかったのかといえば、そうは思いません。

試験問題を解くことに特化した受験のための勉強にばかり傾倒してしまうと、いざ解き方を習っていない応用問題が出た途端に、自分の力だけでは解けなくなってしまうと思うからです。

ここで皆さんに、１つ考えてみてほしいことがあります。

現代のように多様化した社会では、「正解のない時代」という言葉を耳にすることがあると思います。では、正解のない時代を生き抜くためには、受験勉強に限らずどのような学びが必要になるのか？

その答えこそが、探究を目指すプロジェクト型の学びだと私は考えています。

そもそも、プロジェクト型の学習法とは、１９９０年代初めにアメリカの教育学者であるジョン・デューイが唱えた学習法[1]です。

自ら課題を見つけて解決していく学習法で、このプロジェクト型の学習法によって課題解決能力や実践能力が育まれるといわれています。

皆さんもご存じかと思いますが、プロジェクト型の学習法は、何もひとりで行うだけではありません。授業中に少人数のグループをつくり、メンバーとともに問題発見や課題解決のためにいくつもの仮説を立て、実験や検証を繰り返しながら答えを見つけるまでのプロセスを重視する学習法でもあります。

こうしたプロジェクト型の学習法が注目されている背景には、文部科学省が推し進めている「アクティブ・ラーニング」があります。

アクティブ・ラーニングとは、「能動的学習」とも呼ばれるもので、学習者（主に児童、生徒、学生）が受け身ではなく、能動的に学びに向かうよう設計された学習法のことです。

文部科学省がアクティブ・ラーニングを推進している大きな理由の1つは、従来のような受け身の授業や学習では、情報化社会やグローバル化といった社会的変化のスピードに適応するのが難しいという現実があることです。

そこで、多様な社会のなかで個を磨き、自分を位置づける力を養うために必要なのがアクティブ・ラーニングであり、プロジェクト型の学習法でもあるということです。

アクティブ・ラーニングも、プロジェクト型の学習法も、受け身ではなく、能動的に学ぶことで得られること、つまり「深掘り学習」なのです。

どんな学びであっても、深掘りしていくことでたくさんのことを学べます。そこから好奇心や興味という枝葉が出ると、その枝葉をさらに深掘りして多くのことを学べるようになっていく。こうした学びを重視しているのが、次に紹介する当時の筑波大学附属高校だったというわけです。

筑波大学附属高校で学んだ「深掘り学習」の大切さ

「文武両道」とは、本来、武家の男子に対して、「文（学問）」と「武（武芸）」を両立しなければ、立派な武士にはなれないという教訓的な意味を持っていました。

転じて現代では、勉学と運動（スポーツ）の両面に秀でているという意味で用いられている言葉です。

筑波大学附属高校は日本有数の進学校でしたが、「勉強だけの学校ではないですよ」と強くアピールしていたともいえます。

独自の文武両道を掲げ、生徒の自主・自律・自由を重んじ、学問やスポーツなどの活動における協同体験を大切にしています。

そのため、部活動でスポーツをやっている生徒は校内でもイキイキとしていて、私も例に洩《も》れず馬術部に入部し、部活動に励んでいました。

ところが、この文武両道というのがなかなか難しい。私を含め運動部に入っている人たちは、勉強そっちのけで部活動に没頭したものです。特に高校1年生から2年生にかけてはひたすら馬術部の活動に集中していました。

もちろん部活動をしながら、予習と復習をはじめとした私に合う方法で勉強を続けていました。しかし、運動部で部活動に励めば励むほど多くの時間を取られます。

そのため、効率よく勉強しなければならない状況に追い込まれました。いつも時間が足りないので、宿題もテストの準備も、さらに効果的に進められる方法を見つけなければならなかったのです。

ただ、運動と勉強を両立させようとして気づいたことがあります。

それは、運動による学習の効果、記憶力や集中力の向上です。中学生のときほど勉強しなくても、自然と頭に入って記憶できるのを実感したのです。

記憶力の向上について、メカニズムを簡単に説明しておきましょう。

運動をすると脳に酸素が多く供給され、そのため脳が活性化して、記憶力がアップするというわけです。

つまり、勉強で必要な記憶力をアップさせるには、ただ机に向かって勉強するよりも、運動とセットにするほうが、その効果を倍増させることができるのです。

さらに、運動すると脳の血流がよくなって集中力が高まるだけでなく、体内でドーパミンやセロトニン、ノルアドレナリンといった神経伝達物質の分泌が活発化し、やる気をアップさせてくれるので、前向きな気持ちで勉強に取り組むことができます。

このような効果は、ただ机に向かって勉強しているだけでは得られないということを、私はこのとき学びました。

いま思えば、筑波大学附属で「文武両道」が尊ばれる理由がわかる気がします。勉強と運動を両方頑張ることで、学習効果が倍増することを生徒に知ってもらいたいという考えが根底にあったのかもしれません。

その一方で、ある別の問題にも直面しました。

それは、筑波大学附属の授業スタイルです。

筑波大学附属は進学校だったので、受験に沿って授業を進めていくというイメージを皆さんお持ちかもしれませんが、まったく違っていました。

むしろ受験と関係のある授業は皆無だったといえます。

具体的にどのような授業を受けていたのかというと、ひと言でいえば「先生が好きで、教えたい授業」です。

たとえば、地理の授業では教科書はいっさい使わず、ただただ地図を読んだり、あるときには地図に関する新書を1冊読んでレポートを書いたりもしました。

通常、高校の授業では、教科書を万遍なく学ぶものです。新書を1冊読んでレポートを書くというのは、おそらく大学レベルの授業です。そのおかげで地図に関しては、異常に詳しくなりましたが……。

当時の私は、「こんなことをやっていてもまったく受験の役に立たないのでは？」と不満に思ったこともありました。ですがいま考えれば、当時の「深掘り型の学習」が私の学びのレベルを上げてくれたのだと実感しています。

実際に、このとき取り組んだ深掘り型の学習が思考の深みへ自分を導いてくれ、幅広い知識の獲得につながっていきました。

深掘り学習と次の項で紹介する融合学習による学びこそが、その後に大学で勉強していくうえで、必要不可欠な勉強法だったと気づくことができたのです。

授業で学んだ科目の垣根を越えて横断的に学ぶ「融合学習」の効果

高校時代、常々感じていたことがありました。

「科目というのは、人工的につくられたものに過ぎないんだな」ということです。

つまり、科目の区切りはそれほど重要ではないということ。それを教えてくれたのが筑波大学附属高校の倫理・社会の先生でした。

おそらく、科目の垣根を越えて「これは絶対に教えておきたい」と思うことがあったのでしょう。その先生は教科書をほとんど使いませんでした。

たとえば、明治時代以降の民主主義を学ぶという授業を延々とやっていた時期があったのですが、いろいろな登場人物が出てきました。ほとんど知らない人だらけで、私を含め生徒の多くは戸惑いを隠せませんでした。

皆さんは、植木枝盛《うえきえもり》という歴史上の人物をご存じでしょうか。

植木枝盛は土佐藩出身の思想家・政治家で、板垣退助に影響を受け、自由民権運動の理論的指導者として立志社・自由党を結成するなどで活躍した人物です。

植木枝盛については名前を知っている程度で、通常はそれほど詳しく教わらないでしょう。ですが、その先生は授業のコマを3つも4つも使って、ひたすらこの植木枝盛という人物に関する授業をするのです。

すると当然、生徒たちは「また植木枝盛？」となります。

それなのになぜ、先生は多くの時間を割いて植木枝盛の授業をしたのか？

植木枝盛という個性的な思想家・政治家の活動を通じて、その時代の社会構造や取り巻く環境が何となく理解できるようになるから、ということでしょう。

倫理・社会に限らず、教科書に出てきた人物を丸暗記するのでは、その人物が何をやっていたのか、その時代にどのような役割を担っていたのかといったことがわかりません。それでは知識の深みにたどり着けるどころか、現代と比較して当時の社会がどのような状況にあったのかなどということを想像すらできません。

植木枝盛の時代に民主主義が徐々に抑圧されていき、続いて軍国主義が台頭して、やがて戦争に突入していった。そういう時代の流れを知るためには、重要な役割を担った人にフォーカスして、史実と関連づけて学んでいくと理解しやすくなるのです。

その先生は、自身の好みで人物選択をして授業をしていたのですが、いま思えばそれこそが完全な深掘りと融合のハイブリッド学習になっていたのです。

ほかにも、その先生が深掘りした題材に足尾鉱毒事件がありました。

足尾鉱毒事件とは、明治時代に栃木県と群馬県の渡良瀬川周辺で起きた、日本初の公害事件です。

足尾銅山は、明治時代に国内一の産出量を誇る銅山でしたが、その一方で開発による排煙、鉱毒ガス、鉱毒水などの有害物質が周辺環境に著しい影響をもたらし、流域の水産物や農作物にも大きな被害を与えていました。

こうした状況に対して、周辺住民の抗議運動が高まります。

この抗議運動の中心には、地元の政治家・田中正造がいました。田中正造は、この問題を国会で取り上げ、さらに各地で演説を行っては、国民の関心を足尾鉱毒事件に向けようとしました。

田中正造の活動が実り、政府は調査委員会を組織して鉱毒防止令を制定しましたが、その後も鉱毒被害の科学的調査は進まないまま、1973年、足尾銅山は閉山したのです。その先生は、この事件について延々と授業を続けました。

いうまでもなく、こうした深掘り型の授業が倫理・社会という科目の垣根を越えて、現代社会における科学の発展と環境の問題に通じているわけです。

また、地学では、理学博士号を持った先生がひたすらプレートテクトニクスを教える授業がありました。

地球全体のプレート構造について理解を促すと、そこから地球の内部に話が続いていき、これが一種の地球科学と融合し、さらに物理学へとつながっていくのです。

あるいは、発表当時は誰も信じなかった、ドイツの気象学者（いまなら地球物理学者）アルフレート・ヴェーゲナーの大陸移動説を紹介するというように、次から次へと科目を横断しながら融合的な学びへとつなげていくのです。

こうした学習を通じて、私たちはあることに気づくことができます。

科目というのは一応は分類されてはいても、科目を横断しながら深掘りをしていくとまったく違う科目につながっていき、科目の枠を超えた融合的な学びへと発展させていけるということです。

第2章

独学で東大に合格してわかった受験対策と学びの本質

現役での東大合格は受験対策と勉強のリズムができたから

まず、私の大学受験について触れておきましょう。

筑波大学附属高校で馬術の練習に明け暮れていましたが、高校2年生の3学期の終わりに退部し、完全に切り替えて入試対策に取り組むことにしました。

まずは自分の学力がどの程度なのかを知るためにと模擬試験を受けたところ、結果はまったくダメ。「これはほんとにまずいな……」という強烈な危機感で焦り、そこから本腰を入れて受験勉強を始めました。

英語は私の得意科目だったので大丈夫。問題なのは、国語と数学です。

とはいえ、もともと科学少年だったので数学は実は結構好きな科目だったことと、いい参考書に巡り合えたことで、受験勉強を始めて割とすぐに成績が上がりました。

私が使っていた参考書は、渡辺次男さんという当時の伝説的な塾の講師が書いた『なべつぐのひける数学Ⅰ・ⅡB・Ⅲ』でした。辞書のように「ひける」構成のため、ランダムに項目を引いて見開き単位で問題を解くことができたので、楽しく効率的に勉強できたことを覚えています。

あとは国語ですが、当時、どんな参考書を使っていたのか記憶にありません。それでも、現代文の解釈や古典を中心に勉強していたことは覚えています。

当時の担任だった黒澤弘光先生は、筑波大学で修士号を取得した学者肌の国語教師だったのですが、参考書を何冊も執筆していたので、それらの参考書を使って勉強していた時期もありました。

学校での授業は深掘りばかりでしたので、ちょっと不思議に思いますが……。

このように独学ですが、参考書や先生の助けもあって成績が上がっていきました。

その一方で、大事なことに気づきました。受験に打ち勝つには、勉強のリズムをしっかりつくるのがもっとも大切だということです。

私の場合、夏休みに朝の時間を使って勉強する習慣を身につけました。

毎朝5時に起きて自分で朝食をつくり、5時半から勉強を始めます。お昼までには一通りの勉強を終えるようにして、午後は気分転換に運動したり、息抜きしたりして一定のリズムをつくり、それを習慣にしたのです。

習慣化した勉強のリズムをひたすら続けることで、受験という競争に打ち勝ち大きな壁を乗り越えて無事に東大に合格できたのです。

「それだけ？」と思われるかもしれませんが、本当にそれだけです。勉強のリズムをつくって継続することこそ、受験にもっとも必要なことだと思います。

ただし、受験をプロジェクトと捉えて戦略的に取り組んだのも事実ですので、これについては後述します。

さて、受験という競争を乗り越えて東大に入学した当初、感じたことがあります。それは、「学生たちの勉強に対する意識の二極化」です。

暗記型の受験勉強で東大に入ってきた学生たちと、先に紹介した深掘り学習と融合学習をやってきた学生たちとでは、入学後の勉強に対する意識が大きく分かれていて、ほぼ二極化しているなと思ったのです。

私の見立てでは、暗記型の受験勉強をしてきた学生がおよそ8割、私のように深掘りをする融合学習をしてきた学生が2割といったところでしょうか。

受験勉強だけをやってきた約8割の学生たちは、東大に合格した達成感からか大学で勉強すること自体に迷い、大学での勉強に意義を見いだせなくなっていました。

「何を目的に勉強すればいいのか」という壁にぶつかり悩んでも、大学ではいちいち教えてくれません。自主的に学ぶことの意義を見いだせなかったのでしょう。

するど、彼らはどうなっていったのか？

勉強に対するモチベーションがなくなり、遊びに逃げ込んだのです。麻雀をやったり、ビリヤードにはまっていた同級生もいました。それまで受験勉強しかしてこなかった彼らは、ここぞとばかりに一気に青春を謳歌《おうか》し始めたのです。

「勉強なんてやっているヤツはかっこ悪い」

これが、彼らの口癖でした。

「だったら、なぜ東大に入ったの？」と不思議に思ったものです。

一方で、深掘り学習と融合学習を経験してきた学生たちはどうなったのか？

大学に入ってからも、そのまま自分が興味のある深掘り型の学びを融合的に継続していました。参考までに私が興味を持ったのは、文化人類学や実験心理学などです。

自分の興味があるものや好きなものを深掘りしながら融合的に勉強して自分の強みを形成していく学生と、東大に入ることだけを目標に勉強してきた学生との差は、歴然としていたのです。

決め手は勉強を始める前の情報収集と出題傾向の対策

受験とはまさに、私たちの前に立ちはだかる大きな「壁」ではないでしょうか。

受験のためのカリキュラムに沿った授業もなく、塾にも通わなかった私には、大学受験を戦略的に考える必要がありました。自分の人生において、いかに目の前の壁を乗り越えるのかは、当時、高校生だった私に与えられた大きな課題だったのです。

もちろん、大学合格は最終ゴールではありませんが、目の前に立ちはだかる壁であることに違いはありません。その壁を突破しないと、人生の次のステップへと進めないのですから必死です。

私が最初にしたこと、それは受験に関する情報の「収集」です。

まず、東大を受験するにあたって、「過去問はどんな傾向なんだろう」というところから始めました。東大の赤本で過去問の分析に取り組んだのです。

赤本を開いたときの「ああ、こういう問題が出ているんだ」という感覚は、いまでもはっきり覚えています。次に、東大入試の過去問を解こうとしたのですが、まったく解けない。「なんで、解けないんだろう」と不安になりました。

そこで、自分の弱点を洗い出して、それらを克服していく手段を考えました。

具体的には、受験情報を収集して、過去問を解いて、結果を見て、それを評価する。これらの行程を繰り返して自分の課題を明確にしていきました。

自分の課題がわかったら次はどうすべきかですが、自分ひとりの力ではさすがに限界があります。そのとき頼ったのが、塾ではなく参考書や問題集でした。

東大入試の出題傾向を調べたうえで、書店に行って自分の弱点を補強するために役立つベストな参考書や問題集を探しました。

このように考えて取り組んでいくと、受験とは目の前の壁を乗り越えるために解決すべき1つのプロジェクトと捉えることができ、受験に打ち勝って合格するというのはそのプロジェクトを完成させる作業でもあると思えました。

それは、私が取り組んでいたピアノの練習と似たものでした。

ピアノを本気で習得しようとしたら、教則本はまずバイエル、次にチェルニーというように、基礎から始めて徐々にレベルを上げていくのが一般的です。

しかし、私はそうした王道の方法を選ぶことはしませんでした。「この曲を弾きたい」と思ったら、「どうやったら弾けるようになるんだろう」と考えて、自分の弾きたい曲の分析から始めるのが好きなやり方だったからです。

実際に弾いてみて、「この指の動きができない」ということがわかると、そこから「こういう練習をすればいいのか」ということに気づく。興味があることを積み重ねていくという練習でピアノと向き合っていました。

ピアノは、曲自体の構造を知ることで、演奏により深みが出るといわれています。自分が弾きたい曲の構造を理解するにはどうしたらいいのか、何の知識が必要なのか、それはコードの知識なのかといったことを一つひとつクリアしていく。まさに、1つのプロジェクトを完成させる作業に似ています。

話を戻しましょう。「合格を目指すなら塾に通って勉強したほうが、格段に成功率が上がるのでは？」と思う人もいるでしょう。

ですが、受験を1つのプロジェクトと捉えていた私にとって、塾に通って勉強するのは好きな方法ではないし、効率的とも思えなかったのです。

実は、私も夏期講習に通ったことがあり、そこで気づいたことがあります。

それは効率の悪さです。私が受験勉強をしていた当時、いまのような個別指導をする塾はほとんどなく、学校の授業と同じ集合教育の延長のようなものでした。

学校の授業で座っているのと同じように塾講師の話を聞き、ほとんどの時間を他人の弱点の克服法について授業を受けるというのは、時間がもったいないと感じたのです。

それよりも、自分の弱点にフォーカスし、それを徹底的につぶしていくほうが、効果が2倍にも3倍にもなると、考えました。

結果は一目瞭然でした。こうして私は受験というプロジェクトで成功を収めることができたのですが、1つ皆さんにお伝えしたいことがあります。

それは、受験を1つのプロジェクトとして戦略的に捉えて挑戦した人ほど、その後の学びにおいても大きく伸びるということです。さらに、社会に出ても活躍し続けることができるようになります。

勉強も仕事も、目の前の課題を解決すべきプロジェクトとして捉えると、自ら考えて工夫し、自力で乗り越える手段を身につける訓練になるからです。

もし中学生だったら、こんなふうにして東大合格を目指す

私が受験をした当時といまとでは、受験を乗り越えるというプロジェクトの形も大きく様変わりしたといえます。いまは、ネットでさまざまな受験情報をすぐに得られますし、勉強法もたくさん紹介されています。本当に便利な世の中です。

たとえば、YouTube でもさまざまな勉強法が公開されていますので、私が受験勉強で取り組んだ情報の収集も、弱点の克服も、それらを活用すれば効率が格段に上がるでしょう。受験に打ち勝つ戦略の立て方は多様化しているのです。

もう1つ、私が受験をした当時といまとで大きく違うのが、入試制度の仕組みです。

現在、大学受験の方法は国公立・私立ともに「一般選抜」「学校推薦型選抜」「総合型選抜」の大きく3つに分けられています。大学入試センター試験から大学入試共通テストに変わった2021年度入試から、一般入試は一般選抜、推薦入試は学校推薦型選抜、AO入試は総合型選抜へと名称が変更されています。

一般選抜	一般選抜に名称が変更されるまでは「一般入試」で知られていた、受験生の基礎学力を評価対象とする選考方法です。大学の入試方式の中では、最も募集人員の割合が高いですが、人気が高い大学・学部では、高倍率になることに比例して選抜状況も厳しくなります。
学校推薦型選抜	学校長の推薦のうえ、書類審査・面接試験・小論文などを実施して選考が進められます。学校長からの推薦を受けるには、学業成績を数値化した評定平均による判断が一般的ですが、部活動（スポーツ・文化活動）での成績や校外活動の実績、資格取得実績など推薦基準は学校によります。
総合型選抜	受験生の適性が「入学者の受入れ方針」に合っているかどうかを判断して合否を決める入試方法です。選抜方法は大学によって異なり、自己推薦書や小論文、面接、グループディスカッションなどが一般的です。学力テストではわからない、進学の熱意や将来性、高校時代に積み重ねてきた経験や活動を評価してくれる入試方法です。
特別選抜	社会人選抜や帰国子女選抜などを対象に特別枠を設けて選抜する方法です。

こうした大学入試制度を把握したうえで、私がこれから東大を目指すなら、どのような制度を利用して勉強するか？　間違いなく、4つめの「特別選抜」です。

私がいま中学3年生だとして、そこから東大を目指すなら、迷わず海外の高校に行くでしょう。

たとえば、東大の2023年の世界ランキングは39位ですが、たとえば40位にいるブリティッシュ・コロンビア大学（カナダ）を目指すならペーパーテストの入学試験はありませんから、塾に通う必要もありません。

世界ランキング30位から100位あたりの「東大クラス」の大学の多くは、東大よりもはるかに入りやすいのが現実です（英語ができればの話ですが……）。

前ページで紹介したように、大学入試には一般選抜、学校推薦型選抜、総合型選抜があるので、必ずしもいまは一般選抜で受験する必要はありません。

そこで留学から戻った私が狙うのが、社会人選抜や帰国子女選抜などを対象に特別枠を設けて選抜する「特別選抜」という枠です。

実は、東大には一般選抜のほかに、共通テスト（旧センター試験）を受験しなくても、ＩＢ（国際バカロレア機構が提供する教育プログラム）を取得することで入学できる方法があるのです。

それは、「外国学校卒業学生特別選考」というものです。

東大のウェブサイトには、次ページのような記載があります。[1]

私がいま受験生なら、この入試制度を利用して東大を目指すでしょう。

留学して高校の3年間を海外で勉強することで英語力が身につくうえ、東大に限らずこうした特別選抜での受験オプションが格段に増えるからです。

大学のウェブサイトには、学部・学科ごとに入試情報が掲載されています。入試情

外国学校卒業学生特別選考

多様性を活力とするキャンパスづくりを目指して、
一般選抜、学校推薦型選抜に加え、外国の学校を
卒業した者を対象として実施する入学者選抜のことで、
以下の2種類があります。

第1種	私費留学生を対象とした選抜
第2種	帰国生徒を対象とした選抜

出所：東京大学

報のページで、入試制度に関する詳細を調べてみると、複数の入試制度が用意されていることを知ることができます。

また、入試制度の仕組みに加えて、出願要項や募集要項も確認しておくことで、自分に合う入試制度を利用することができます。

入試に打ち勝つには、まずは受験情報の収集からです。

人よりいい大学という志望校選びが学びを失速させる

志望校を選ぶうえで、お伝えしておきたいことがあります。

第一志望、第二志望、第三志望、あるいは滑り止めといった考え方はいますぐやめたほうがいいということです。私のまわりにいる受験生に対しては、必ずこのことを伝えるようにしています。

それはなぜか？　長い目で見ると学びに対する意欲が失われがちなうえ、目先のことでいうと志望校に合格する確率が極端に下がってしまうからです。

たとえば、定員が30人しかいない大学の学部に、受験生が３００人出願したとします。すると、その倍率は10倍ですから合格するのは10人に１人。困難を極めます。偏差値が高い順に受験して、それですべて不合格になってしまうのは残念です。

そうではなく、自分が受験する大学は、学びたいことを重視して選んで、すべて第一志望として受験する。これがベストな考え方だと私は考えています。

そうはいっても、なかなか理解してもらえないのがつらいところでもあります。

では、なぜ第一志望、第二志望、第三志望、あるいは滑り止めといった考え方から脱却できないのでしょうか。それは、皆さんもご承知の通り大学に対する学歴重視の考え方を捨て去ることができないからでしょう。

ただし、これからの時代で重要なのは、少しでもいい大学に進学するという基準で志望校を選ぶのではなく、自分が学びたい環境があるかどうかで選択することです。

たとえば、「あなたの国で一番いい大学はどこですか？」といった質問を欧米の人に投げかけたとしましょう。すると、ほぼ例外なく「え？　この人は何を訊きたいのだろう」と思われ、人によっては不思議がられるかもしれません。

日本では、「この大学は一流」とか「この大学はランクが低い」といった一種のブランドで進路を決めてしまう傾向がありますが、欧米をはじめ世界ではそうした基準で大学を選ぶのでなく、何を学ぶかということを重視する人が多いといえます。

つまり、「自分が学びたいことを突き詰められるのはどこか」という考え方をもとに進学する大学や学部を決めているのです。

たとえば、社会学あるいは物理学を学びたいとしましょう。

そのとき、「○○大学の社会学部のカリキュラムは面白そう」「○○大学の○○という物理学の教授のもとで学びたい」というように、大学名で選ぶのではなく、自分が学びたい環境があるのかどうかで、志望校を選ぶのが望ましいといえます。

いまの時代は学ぶことも多様化していますので、自分の学びの方向性をしっかりと意識したうえで、進路を決める必要があるということです。

「この大学に進学しておけば将来安泰だろう」という学歴重視の考え方はもはや古く、発想を変えて「どの大学なら本当に自分のやりたい勉強ができるのか」ということを基準に進学先を選ぶことが、入学後の学びを大きく左右することになるのです。

皆さんは、東大は日本最高峰の教授陣をそろえ、優秀な人間だけが入学できる、まさにステータスの高い大学だと考えているかもしれません。

でも、実際にはそんなことはありません。他大学にも素晴らしい教授はたくさんいますし、先に述べた通り、東大に入学しても勉強することに迷ってしまい在学中に落ちこぼれた人もいます。それに、すべての東大卒の人が社会に出て活躍し続けられるわけでもないのです。重要なのは、学びに対する意欲と姿勢です。

実は、そのことをもっとも理解しているのが、東大卒の人かもしれません。

東大卒エリート、つまり社会に出てからも活躍し続けられる人は、自分たちの学びたいという意欲を自覚していて、自分の好奇心をもとに学びを続けることの重要性を認識している人だといえるでしょう。

また、東大卒かどうかにかかわらず、海外に渡り世界を知っている人ほど、「ああ、世の中にはこんなにも優秀な人間がいるのか。自分なんてまだまだだな」と思い知らされるものです。かくいう私も、そのひとりでした。

世界には、さまざまな大学があって、いろいろな個性を持った人がいます。いろいろな人に会い、さまざまなことを経験することによって、学びの深さも幅も一層広がっていくものです。

だから、学びの分岐点ともいえる志望校の選択で何を基準にするのか、それが大学における学び、さらに社会に出たあとの成長をも左右するのです。

学びを加速させるのも失速させるのも、本人次第。学びに対する意欲と姿勢にかかっています。皆さんには、そのことをしっかり意識してほしいと思います。

東大教養学部で実感したゆっくり学ぶことの大切さ

小学生の頃から何度となくビリを体験してきた私も、自分に合う勉強法を見つけて名門高校に合格。さらに大学は、東京大学文科一類（法学部進学課程）に現役で合格できました。まさにサクセスストーリーかと思いきや、実はおまけのようなビリの体験をすることになります。

その前に、そもそもなぜ東大の法学部に入ったのか、そしてなぜ教養学部に残り、最終的に理学部へ学士入学したのか、その経緯をお話ししたいと思います。

高校生だった当時、私もいまの高校生と同じように「どこの大学に入って、将来どんな仕事をするのがいいのだろう」と漠然と考えていた時期がありました。

そんなとき、あるロールモデル的な人の存在を思い出したのです。

それは、私の大伯父でした。大伯父は、神戸大学法学部を卒業して日本銀行に入行し、退職後は大和証券の副社長に就任した優秀な人でした。

その頃の私は、いつも羽振りがよかった大伯父を見て、「これこそ人生の成功パターンだ！」と考えていました。先の意見を否定するようですが、これがそもそも私が東大の法学部へ進んだ理由でした。

希望通り東大の法学部に入ったのはいいのですが、すぐに現実を思い知ることになります。法律の授業が、自分に向いていないということに気づいたのです。

ブランドで選ぶことがよくないという例の1つですが、もともと科学が好きな少年でしたから、興味を持てない法律を勉強するのはつらいだけでした。

そのうえ、私が東大生だった頃は、いまとは比べものにならないほど司法試験の合格率が低く難しかった時代です。東大の法学部は1クラス30人ほどで、そのうち司法試験に現役合格できるのがたった1人という狭き門でした。

先を見ても希望を抱けないうえ、そもそも法律に興味を持てなかったので、あきらめて教養学部教養学科に転部して科学史や科学哲学を学ぶことにしました。

「人生にムダな学びなどいっさいない」

それを教えてくれたのが教養学部での学びでした。東大の教養学部というのは、実にユニークな先生が多かったのです。ユニークな先生が多いということは、それだけユニークな授業があるということでもあります。

当初、「こんなことを学んで、いったい将来何の役に立つのだろうか」と半信半疑だったこともありますが、教養学部ではゆっくりと深く、幅広く学ぶことができましたし、その後の仕事にも大いに役立っています。

科学史や科学哲学のほかにも、文化人類学や実験心理学、古典ギリシア語、なかにはアイヌ語を研究している先生もいたので、好奇心のおもむくまま、さまざまな授業を選択して幅広く勉強しました。

皆さんのなかには、「アイヌ語なんて勉強してどうするの?」と思う人もいるかもしれません。ですが、アイヌ語を勉強するということは、アイヌの文化を学ぶことでもありますから、その延長として日本の過去の政策の本質が見えてきたり、さらに海外の文化と比較したりするという横断的な融合学習ができるのです。

古典ギリシア語もそうです。単に外国語を学ぶだけでなく、プラトンを読み漁ったり、古代ギリシアの歴史をひも解いたりすることで新たな学びへとつながります。それこそが、融合学習の大きなメリットでもあるのです。

ちなみに、私と一緒に古典ギリシア語を勉強していた同級生は、その後、埼玉大学の哲学教授になりましたし、同じクラスから教養学科に進んだ同級生はスタンフォード大学の教授になりました。世界的に活躍している人が多いのです。

日本の多くの大学では、入学時に専門分野が決まってしまいますが、高校時代に将来の専門分野なんて、判断できません。

でも、そういう仕組みなので、あまり情報もないままに専門を決めてしまう。教養学科で私が学んだのは、もう少したくさん勉強をしてから、じっくりと自分の進むべき道を決める方法もある、ということです。これは、欧米の大学の多くが採用しているシステムでもあります。

つまり、高校レベルの狭い知識しかない状態で、まるでルーレットのように専門分野を決めるのではなく、大学で適切な時間をかけて、たくさんの分野の知識を吸収したあとに、自分が本当に好きで打ち込める専門を決めるのが「筋」だと思うのです。

私が通った東大の教養学科は、日本では数少ない「ゆっくりと人生の方向を決める」ための学科だったのです。

教養学部を卒業後、あらためて自分が好きな物理を勉強するために理学部物理学科に編入することにしました。

東大には、「学士入学」というシステムがあり、試験を受けて合格すれば、1年生からではなく、3年生からほかの学部に入れるのです。

「さあ、やっと自分が好きな物理を思う存分勉強できる」

そんなワクワクした気持ちをよそに、ここで思わぬ洗礼を受けることになるとは、まだそのときは想像もしていませんでした。

東大の物理学科の学生たちは、小学生からずっと勉強ができた、いわゆる筋金入りのエリート集団だったのです。ちなみに盟友であり、脳科学者として活躍する茂木健一郎とはこの物理学科で出会いました。

私のように、高校で古典や漢文の勉強をしたり、大学で法律の勉強をしている間、彼らは自分たちが大好きな理数系の勉強をとことん探究してきたのです。

そんな彼らと私との差は歴然としていました。隣の席の学生が「こんな問題簡単だな」という微分方程式が自分には解けない……。

「あー、またビリに逆戻りだ」と落ち込みそうになりました。

ですが、小学生の頃のビリと、東大でのビリには大きな違いがありました。

そうです。私はすでに自分に合う勉強法を確立していたのです。

それまでと同様に予習と復習をしっかりやりつつ、自分が興味のあることを深掘りして横断的に学ぶ。そうすればすぐにみんなに追いつけるはず。

そんな自信があったので、遅れを感じてはいても、不安や焦りに負けることなく、乗り越えることができました。

私の経験を振り返ってみると、3つのことが私の勉強を後押ししてくれたのだと思います。まず小学校の担任の先生が私を科学の世界へ導いてくれたこと、そして伯母が私に合った勉強法のヒントを与えてくれたこと、さらに深掘りと横断的な学びを知ったことです。

この3つが、少年時代にビリだった私を東大合格に導いてくれたきっかけであり、後押しだったように思います。

自分に合う勉強法を見つけたことで、私の人生は変わりはじめました。皆さんも自分に合う勉強法を模索して見つけられると、人生が大きく変わると思います

それに、一度自分に合う勉強法を確立できると、一生学びに苦労しなくてすむようになります。

好奇心を持って学ぶから広く深く知識を拡張できる

私が東大で学んだ大切なこと、それは好奇心を持って学ぶ姿勢です。

東大の教養学部というのは、いろいろな分野のことを勉強したい、いわば「勉強欲」を持った学生が多く在籍していました。彼らは、まさに勉強欲の塊のような学生たちで、先生たちも「よし、それなら私が知っていることをすべて教えてあげようじゃないか」というスタンスで講義を行ってくれていました。

そのうえ教養学部は少人数制でしたので、先生と学生たちとの距離が近く、先生がそれぞれの学生の個性に合わせた指導をしてくれるのも魅力の1つでした。

たとえば心理学などの人気のある一般教養の講義では、100人近くの学生がいるのに対し、教養学部には5人しかいない講義もありました。

大人数ではできないような本格的な研究ができたり、「こんなこと、この学部に来ていなかったら一生学ぶことはないな」というような濃密な授業を受けられました。

なかでも、その道を究める先生たちの体験にもとづいた講義は最高でした。

たとえば、私が美術史の授業をとっていたとき、先生がいきなり「フィリッポ・ブルネレスキについて学んでみよう」という授業を始めました。

「フィリッポ・ブルネレスキ？」

いったいどのくらいの人が、この名前を知っているでしょうか。

おそらく、多くの人にとっては初めて聞く名前かもしれません。私も最初は「ブルネレスキ？　誰それ？」という感じでした……。

フィリッポ・ブルネレスキは、ルネサンス期の15世紀初頭、フィレンツェで活躍した建築家です。ブルネレスキは、ルネサンス様式建築の代表作ともいえるフィレンツェのサンタ＝マリア大聖堂を完成させたことで知られていますが、彼のもう1つの功績は、視覚光学にもとづいた遠近法を発見したことです。

そもそも遠近法とは、3次元の空間における遠近の距離を、絵画や図面などの2次元の平面に落とし込むことで、平面の絵に奥行きがあるような錯覚を生み出す技法のことです。

彼が発見した遠近法は、現代美術の風景などで見ることができるように、地平線に向かって徐々に道幅が狭くなり、最後にその地平線上に消えていく現象の科学的な方法による解明です。

この遠近法により、地平線の上に消失点というポイントをつくり、そこに向かって線を描いていくことで立体感を生み出すことに成功したのです。

もちろん、それまでも奥行きを表現したり、物や人物を縮小して描いたりすることで空間を表現できていましたが、遠くに行くにつれて小さくなっていくように見えるこの技法を科学的な法則で解説することは、誰にもできていなかったのです。

たとえば、誰もが知るレオナルド＝ダ＝ヴィンチの名画『最後の晩餐《ばんさん》』の背景が、この遠近法で描かれていることは有名です。

ブルネレスキの遠近法は、ルネサンス芸術を支える柱となり、現代絵画の基本になっていったのですが、授業を通じて非常に重要な人物だということを学んでいくにつれ、私の勉強欲はさらに膨らんでいきました。

また教養学部の講義で、私は多くの先生たちの情熱みたいなものを感じました。

それは、私たち学生に伝えたいストーリーであり、マニュアル通りの講義では知ることのできないものばかりでした。

たとえば、ブルネレスキについて教えてくれた先生は、実際にブルネレスキが遠近法の実験を行ったイタリアに行ったときの話や、感動したエピソードなどを、事細かく私たち学生に教えてくれました。

また、物理学の先生は、オーストリア出身の有名な物理学者ルートヴィッヒ・ボルツマンの生家とお墓参りに行ったことを自慢げに話してくれました。

そうしたストーリーの一つひとつを自分の中にイメージして感情移入しながら学ぶことができたことは、非常に大きな財産となっています。

いまの私にとって、何事も好奇心を持って学ぼうという姿勢の原点となっているからです。

第3章

深掘り学習×融合学習で知識の幅と奥行きを拡張する

数学と物理は暗記ではなく計算で飛躍的に理解が深まる

「数学は得意だけど、物理は苦手です」

そういう人も意外に多いのではないでしょうか。

どちらも好きで、得意な私がお伝えしたいのは、「物理と数学の関係性を知って融合的に学ぼう」ということです。

たいていの学校では、「数学は数学」「物理は物理」というように、それぞれ科目が分かれています。しかも、物理を学ぶときに、数学はあまり使いません。

このようなことをいうと、「いやいや、物理では当然数学を使うでしょ？」と思うかもしれませんが、実のところは使っていないのです。

たとえば、「加速度」と「速度」と「距離」の関係性を例にとって説明するとわかりやすいかもしれません。

「加速度を求めるとき」も、

「速度を求めるとき」も、
そして「距離を求めるとき」も、
多くの人は、それぞれの公式に当てはめようとします。

それはなぜか？

「微分積分」を物理で使わないようにしている高校がほとんどだからです。

本来であれば、

「距離を微分すると速度になる」し、

「速度を微分すると加速度になる」。

逆に、

「加速度を積分すると速度になる」し、

「速度を積分すると距離になる」。

これが、加速度と速度と距離の基本的な関係性です。

このように微分積分を使えば、変化率を見るようなときもすぐに解釈できるようになっているのです。ところが、なぜか微分積分を物理で使わない。

これこそ、冒頭の「数学は得意だけど、物理は苦手」という人たちを生み出している原因だと、私は考えています。

「とにかく3つの公式を覚えろ」

先生にこんなことを教わった人も多いと思いますが、加速度と速度と距離の基本的な関係性を深く考えていくと、加速度が変化しない定加速度の場合を扱っているので、実は加速度も変化することがあります。

すると、単に3つの公式をバラバラに覚えても意味がなく、そのつながりや関係性を考えていかなければなりません。

結局のところ、物理のなかでも特に理論物理に関しては、「いかに自然現象に数学を当てはめるか」ということをしなければなりません。

だとしたら、数学という武器を使わずに物理を勉強するというのは、体系的に学べずに効率が悪い。だからこそ、数学と物理を融合的に学ぶ必要があるのです。

ここで説明した加速度と速度と距離の関係性を、「数学を使ったら」バージョンで説明してみましょう。

数学なので数式が出てきますが、苦手な読者は数式だけ読み飛ばしてかまいません。

まず、高校の数学の教科書に載っている微分積分の基礎については、tのn乗（つまりｔをｎ回かけたもの）を微分すると、ｎにｔの（ｎ－１）乗をかけたものになります。言葉で書くとややこしい感じがしますが、こういうのは、具体例を見ればいいのです。

たとえば、ｔの２乗を微分すると、２×ｔ、省略形で２ｔになります。

あるいは、ｔの３乗を微分すると３×（ｔの２乗）ですし、ｔを微分すると１になります（なぜなら、ｔはｔの１乗であり、ｔの０乗は１だからです）。

この微分の関係を逆にしたのが積分です。

ここで、「積分なんて無理！」と叫んでしまった読者に１つコツを伝授しましょう。

皆さんは１＋３＝４という足し算はもちろんできるでしょう。

あるいは、０・３＋０・２＝０・５も問題ないはずです。

実は、積分は足し算にほかならないのです。

ただし、１のような整数ではなく、０・５のような小数でもなく、「無限に小さい数」の足し算なのです。この本は数学の本ではないので、これ以上の説明はしませんが、自分に馴染みのある捉え方（いまの場合は「足し算」）にまで落とし込むことで、難しいと感じていた概念でも、急に身近なものになります。

$$距離 = \frac{1}{2}gt^2$$

↓ **微分**

$$速度 = gt$$

↓ **微分**

$$加速度 = g$$

さて、学校の数学で微分積分の公式（とその導き方）を教わってから物理を考えれば、たとえば地球の重力加速度をg（約9・8）として、上の図表のようなつながりが生まれます。

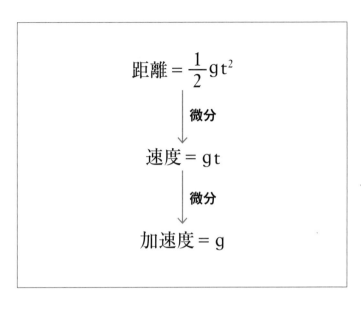

矢印を逆にたどれば、加速度gから始めて、積分することによって速度、さらに積分することで距離を求められます。

こうやって数学と物理を融合できれば、「きょりは、にぶんのいち、じーてぃーのじじょう」という公式を丸暗記する必要はなく、「最初の加速度gから始めて2回積分したら距離を計算できる」という一貫した知識として身につくのです。

バラバラな知識の丸暗記は、テストでは点数を取れるかもしれませんが、テストが終わったら忘れてしまうでしょう。

それは、全体が有機的に知恵として習得できていないからです。

逆に、（先の例は数学と物理でしたが）複数の科目を融合的に深掘りして学習できれば、いつでも使える生きた知恵として身につくのです。

国語と数学に共通する「論理」を学ぶとどちらも解ける

皆さんは、「論理国語」という科目をご存じでしょうか。

論理国語とは、多種多様な文章を多面的に理解することで、実社会において必要となる、論理的・創造的に自分の考えを形成し、表現する能力を育成するための国語科目の1つです。

論理国語の教科書に私の文章が採用されると聞き「論理国語なんていう科目ができたのか」と思ってはみたものの、詳しいことがよくわかりませんでした。

そこで、私が運営しているフリースクールに通う高校生に話を聞いてみました。すると、興味深いことがわかりました。

具体的には、それまで現代文と呼ばれていた国語の授業が2022年の学習指導要領改定によって、「論理国語」と「文学国語」に細分化されたとのことでした。

たしかに、現代文という科目には評論文があったり、小説やエッセイがあったり、詩や短歌、俳句があったりと雑多な科目だったように思います。

先の改定では2つの科目に分けることで、論理国語では実用的な文章、たとえば契約書や法律の文章といったさまざまな文章を読み込み、論理的な思考を身につけるという狙いがあるようです。

では、論理国語と、数学や自然科学のもとになる論理とでは、何が違うのか？

実は、どちらも同じ論理です。

私たちが論理、あるいは論理学といっているものは、数学では「数理論理学」という分野にあたります。

別名は「数学基礎論」ともいうのですが、数理論理学で何を学ぶのかといえば、ひたすら数学の土台である論理です。

たとえば、「ゲーデルの不完全性定理」というものがあります。

ゲーデルの不完全性定理とは、1930年頃にオーストリア・ハンガリー帝国出身の数学者・論理学者・哲学者であるクルト・ゲーデルによって発表された定理であり、第一不完全性定理と第二不完全性定理に分けて考えられています。

▽第一不完全性定理

ある条件を満たす形式的体系には、証明も反証もできない論理式が存在するというものです。

わかりやすく説明すると、ある条件を満たすルールの中に「正しくもなく、間違ってもいないものが存在する」ということです。

▽第二不完全性定理

ある条件を満たす形式的体系には、自己の無矛盾性を証明する論理式が存在しないというものです。

こちらもわかりやすく解説すると、自分で矛盾がないことを証明できない場合において、それを証明するために「自分以外の形式的体系に証明してもらう必要がある」ということです。

このように、「論理とは何か？」を深く考えていくと、実は文理相対の学問である国語と数学に、「論理」という共通点が浮かび上がってきます。

だからこそ、国語と数学を融合的に学ぶことが効率的だというわけです。

では、国語と数学を融合的に学ぶことによる具体的なメリットとは何か？

当然のことと思われるかもしれませんが、第一に「論理的思考が身につく」というのがもっとも大きなメリットと考えられます。

たとえば大学で論理学の授業を受けていると、言語を記号で表すことがあります。これを「記号論理学」といいますが、日本語でも英語でも記号化すると、論理の曖《あい》昧《まい》さがなくなります。同じように、国語的な構造や数学的な構造を記号に変換することには、論理を明確にする効果があるのです。

国語と数学の融合学習について、具体例をあげてみましょう。

このときの国語は、数学との関係から「論理国語」についての例です。

論理学は数学の一分野ですが、歴史的に哲学科でも教えられてきました。正しく考えるためには、論理学が必要だからです。

論理学には、次のような公式があります。


「AならばB」が真であるとき、「BでないならばAでない」が成り立つ。

いったい何をいっているのかと思われるかもしれません。

ですが、次の具体例を見ればわかります。


「雨が降ったら、ぬかるみになる」が正しいような場所においては、「ぬかるみになっていないならば、雨は降っていない」ことがわかります。

あるいは、「夕焼けが見えたら、翌日は晴れになる」が経験的に正しいならば、「晴れなかったら、前日、夕焼けは見えなかった」はずです。


何を当たり前のことをいっているのかと思われるかもしれませんが、このような論理学の公式をたくさん知っていると、国語で使う言葉で物事を考えているときに、間違った結論に飛びつく恐れがなくなるのです。

一方で、次のような推論は正しくありません。

「雨が降ったら、ぬかるみになる」が正しいような場所においては、「ぬかるみがあったら、雨が降ったことがわかる」。

なぜ、この推論が正しくないかといえば、雨以外の理由でぬかるみができた可能性があるからです。

誰かが水道の水を出しっぱなしにしたかもしれませんし、水道管が破裂したかもしれませんよね？

このような推論が正しくないことは、

「AならばB」が真であるとき、「BならばA」は必ずしも成り立たない

という論理学の公式を知っていれば、すぐに気づくことができます。

数学の基礎として論理学があり、それは「正しく考えるためのツール」であるため、「論理国語」として、数学と国語の融合学習をすることで、試験問題で間違えることを防げるだけでなく、会社の会議などでとんちんかんな発言をする恐れもなくなります。

数学と科学を融合的に学習すると推論力が鍛えられる

近年、さまざまな分野で注目されている「因果推論」をご存じでしょうか。

因果推論とは、原因とそれによって生じる結果との因果関係をデータにもとづいて統計的に推定するための方法論です。

2021年にアメリカの経済学者が、この因果推論を用いた効果測定でノーベル経済学賞を受賞したことも、注目されている理由の1つかもしれません。

ではここで、皆さんに質問です。

「因果関係と相関関係の違いとは何か？」

これは、因果推論の基礎ともいえる質問です。

一般的には、次のような枠組みとなります。

・因果関係

2つ以上のものの間に、原因と結果の関係があること。

・相関関係

2つのものが密接にかかわり合い、一方が変化すれば他方も変化するような関係があること。

因果関係と相関関係には、このような違いがあります。

因果関係と相関関係の違いを理解したうえで、因果推論を学ぶために有効なのが、数学と科学の融合学習です。

たとえば、先に述べた通り、「物理や数学を勉強しているときに、単に公式だけ覚えていてもまったく理解できなかった」。

そんな方も多いのではないでしょうか。

そこで、因果関係や相関関係で考えたら、それぞれの関係性がよく見えてきて、ずっと理解できるようになったということがよくあります。

これもまた、因果推論を学ぶ大きなメリットです。

また、因果推論は統計学で表現されることもあります。

この場合、当然グラフが出てくるので数学的な要素が強くなりますが、グラフの背景に何らかの因果関係や相関関係があるのではないかと考えを広げていくと、数学と科学を融合的に学びつつ因果推論の理解を深めていけるのです。

たとえば、ワクチンが効くか効かないかといった議論は、科学の問題であると同時に、因果推論と数学の問題だと考えることができます。

ワクチンは通常、国が承認する前に治験が行われます。

具体的には、たとえば500人にワクチンを接種し、別の500人には生理的食塩水を投与します。いわゆるプラセボ効果の確認です。

その後、2つのグループを比較して、感染症に罹《かか》った人の割合を調べて、ワクチンの効果を調査するのです。

いったいどれくらいの感染者の差が出たら、ワクチンの効果が認められるのか？

ここで大事なのは「もしもワクチンを打たなかったらどうなるか」という視点です。

ワクチンの場合は、実際に治験をして事前に調査をするわけですが、それができない場合はどうすればいいでしょうか。

たとえば広告と売上げの関係などは、ワクチンの治験のような「実験」ができない例かもしれません。なぜなら、ある商品の売上げが伸びた場合、それが国全体の景気変動によるものか、広告のおかげなのかが判然としないからです。

ここでも大事なのは、「もしも広告を打たなかったら、売上げはどうなっていたか？」という視点です。

広告は打つか打たないかであって、そんなことを想像しても意味がないと思われるかもしれませんが、実は、擬似的な実験で考えることができます。

お店の立地条件が似ている地域を2つ選んで、一方では広告を打ち、他方では広告を打たない、という実験をすればいいのです。

あるいは、後づけで、そういったデータを探して分析してもかまいません。

因果推論の世界は奥が深く、ここには書ききれませんが、たとえば『因果推論の科学』（文藝春秋）などを読むと、理解が深まるはずです。

英語と国語を融合的に学ぶとコミュ力が上がる

「英語と国語の勉強はまったくの別物」と考えている人が意外に多いと感じます。ですが、英語と国語を融合的に学ぶのは非常に効果的なのです。

なぜ、英語と国語を融合的に学ぶことに効果があるのか？

順を追って詳しく説明していきたいと思います。

英語を勉強しているとき、英文和訳や和文英訳というように、英語と日本語を行ったり来たりしているのではないでしょうか。

英語を勉強すると同時に国語の勉強もできていないと、英語の試験で英文和訳した文章の日本語がおかしくなり、テストでいい点数を取ることはできません。

これは、英語と国語の勉強は実は関連しているという1つの例です。

このことを踏まえると、英語力が上がるということは、国語力が上がるということと相関関係があって、決して無関係ではないといえます。

英語と日本語を融合的に学ぶことのさらなるメリットは、言語の違いを通じてそれぞれの特徴がわかってくることです。

たとえば、国語の特徴とはいったい何でしょうか。

私が考える国語の特徴とは、漢字に情報が凝縮されていることで、視覚的に意味を理解できるという点です。

英語を母語とする人と日本語を話す日本人とでは、読書のスピードが圧倒的に違うといわれています。

それは、漢字に情報が含まれているからです。

以前、東大の名誉教授である養老孟司先生が、ご自身の著書の中で「マンガはルビのある漢字」と述べていたのがとても印象的でした。

日本語には漢字があり、ひらがながあり、カタカナがあります。

養老先生いわく、日本語を認識するときの脳の部位は、漢字と、ひらがなやカタカナとでは異なるというのです。漢字は右脳部位で認識するのに対し、ひらがなやカタカナは左脳部位で認識するのかもしれません。

その一方で、マンガは文字と絵の複合体ですが、マンガとそのセリフや説明文の文字は、漢字と同様に脳の異なる部位で認識されているらしいのです。

マンガは、漢字以上に視覚的に認識できるからこそ、読書が苦手な人でもすいすいと読める。こんな特徴を養老先生は「マンガはルビのある漢字」とユニークに表現したのです。

これはマンガに限らず、一般的な読書にも同じことがいえます。

つまり、漢字が入っている文章は速く読めるという特徴があるのです。

では、英語の強みとはいったい何でしょうか。

私が考える英語の強みとは、論理的であり、かつ正確性が高いことです。

たとえば、英語には単数形や複数形、さらには「a」とか「the」といった冠詞があります。これは日本語にはない論理を表す言語の代表例だといえます。

こうした細かなルールや文法が英語にある背景には、「ローコンテクスト文化」というものが存在しています。

ローコンテクスト文化とは、コミュニケーションをほぼ言語を通じて行い、直接的でわかりやすい表現がよいとされ、文法も明快かつ曖昧さがない文化を意味しています。

ローコンテクスト文化の象徴ともいえるのはアメリカでしょう。

アメリカは世界各国から移民が集まっている国であるため、相手に何かを伝えたいと思ったら、曖昧さや誤解が生じないように、できる限りはっきりと明確な言葉で伝えなければならないと考えられています。

一方で、ハイコンテクスト文化である日本では、長い時代のなかで培われた共通認識があり、言葉にしなくても相手のメッセージを読み取る能力が身についています。だからこそ、「空気を読む」とか「忖度《そんたく》する」といった、独特のコミュニケーションスタイルが発展してきたのです。

英語と国語の融合学習において、さらなるメリットと考えているのが「ニュアンスの洗練」です。

普通に日本語だけの言語世界に生きていても、大人になれば、おのずと言葉のニュアンスを習得するでしょう。もちろん作家や新聞記者、アナウンサーといった言葉を専門とする仕事の人もいれば、そうでない人もいますし、個人差も大きいはずです。

それでも、英語を融合的に学習すると、面白いことに日本語の言葉のニュアンスに磨きがかかるのです。なぜなら、英単語や英語のフレーズは、必ずしも日本語と一対一で対応していないからです。言語が変わると、ある単語やフレーズのニュアンスが、微妙に異なってくるのです。

たとえば、「おもてなし」という日本語と「hospitality」という英語は、辞書を引けば似た意味だとわかりますが、背景にある文化が異なり、言語空間そのものが異なるので、当然ですがニュアンスも異なります。

以前、X（旧Twitter）で、カナダ在住の日本人が「英語にも敬語表現はある」と呟《つぶや》いていました。実際にその通りで、その人があげていた例では「You should ～」（あなたは～すべきだ）という表現を使ったことにより、会社内での人間関係を壊してしまい、村八分に遭《あ》ったというのです。

私は日本語と英語が7：3くらいのバイリンガルですが、たしかに自分の部下や子ども以外に「you should ～」という表現を使った覚えがありません。

言い方がきつく、命令口調だからです。でも、辞書で「should」を引けば、「すべき」と出ているため、日本語感覚で英語圏でも使ってしまう人はいるでしょう。

言語コミュニケーションでは、とにかくニュアンスが大切で、それをうまく汲み取ることができないと、自分だけが浮いてしまいます。

辞書を引いたとき、1つの単語なのに、たくさんの意味が羅列されていることに注意してください。これは、1つの単語がたくさんの意味で使われるということ、つまりその言葉が、英語の言語空間やその国の文化の中で使われるシチュエーションによって、いくつものニュアンスを持っているという意味なのです。

皆さんは、「いただきます」に相当する英語が（ほぼ）存在しないことをご存じですか？

フランス語では「Bon appetit」（ボンナペティと発音します）という言い方がありますが、それも日本語の「いただきます」とはニュアンスが異なります。「いただく」という言葉に込められた感謝の気持ちは、日本文化特有の趣《おもむき》だといえるでしょう。

このように英語、あるいはほかの言語と国語を融合的に学ぶことには、それまで気にかけていなかった言語のニュアンスに気づけるという意味で、「国語力が洗練される」というメリットがあるのです。

さらに言語のニュアンスに気づけると、日常生活におけるコミュニケーション力が高まることはいうまでもないでしょう。

ラテン語を少し勉強しておくだけで英語学習がラクになる

私が大学生のときに勉強した言語の1つに、「ラテン語」があります。

ラテン語とは、古代ローマ帝国の公用語であり、長らくヨーロッパの教会や学問の共通言語として使われた言語です。

現代では、欧米においてもラテン語を勉強している人は少なく、ましてや日本でラテン語を勉強しているという人はごくわずかでしょう。

では、ラテン語を勉強すると、どんなメリットがあるのか？

それは、英語学習（特に英単語の語彙学習）がとてもラクになるということです。

厳密にいえば、英語の源はラテン語ではありません。

ラテン語は、フランス語、イタリア語、スペイン語などのいわゆる「ロマンス語」と呼ばれる言語へと変化しました。

ただし、英語はラテン語からかなり大きな影響を受けた言語だといえます。

簡単に説明すると、11世紀にフランスのノルマンディー公ウィリアムがイングランドを征服したことが、その要因です。これが世界史で習う「ノルマン征服」という歴史的な出来事ですが、この征服により、フランス語を経由してラテン語から多くの語《ご》彙《い》が英語に取り入れられたといわれています。

実際に、英語にどれほどのラテン語由来の語があるのか、ちょっとだけ紹介したいと思います。

次に並べたのは、ベストセラーになっている『英単語の語源図鑑』（小社刊）に収録されている英単語です。

prospect　inspect　respect　suspect　expect

この中に、ラテン語由来の英単語はいくつあるでしょうか。

答えは、全部です。ラテン語由来の英単語は、英語の語彙にあふれているのです。

特に、高校や大学などで習う少し難しい英単語には、ラテン語由来のものが多い傾向にあります。

pectoralis major（大胸筋）
rectus abdominus（腹直筋）
rectus femolis（大腿直筋）
fibularis longus（長腓骨筋）
trapezius（僧帽筋）
baiceps brachii（上腕二頭筋）

こうした事実を踏まえ、私が提案したいのが英語とラテン語の融合学習です。

ラテン語を勉強していると、英単語の語彙学習が圧倒的にラクになる。

これは私の経験上、断言できることです。

どれだけラテン語を勉強するかにもよりますが、少なくとも私の印象ではラテン語を少し理解できるだけで、英語の語彙学習のスピードが格段にアップするはずです。

また、ラテン語を勉強したおかげで、英単語の意味を推測できるというメリットも生まれます。

たとえば、上の英単語を見てみてください。

どれも難しい英単語ですが、8年生（日本の中学2年生に相当）がカナダの学校で「全部覚えるように」と体育教師に言われる筋肉の名称です。

圧倒されてしまいそうですが、実は、基本的なラテン語の単語がわかる人なら、これらの単語を見ると何となく意味がわかるのです。

また、英語学習の際にラテン語を融合的に学ぶことで、言語という垣根を越えて、世界の歴史や文化、神話や宗教といった分野まで幅広く学ぶことができるというメリットもあります。

1つ例をあげれば、ローマ神話における戦いの神「マールス」はラテン語で「Mārs」、これが英語では「Mars」となり、「火星」を意味する単語になっています。これは、戦いの炎や血が火星の赤を連想させるからといわれています。

さらに、3月を英語でいうと「March」ですが、これもまたラテン語の「マールス」が語源になっています。ローマ帝国における3月は気候が穏やかで、ローマ軍が戦いを始めるのに最適だったことから、戦いの神の名がついたとされています。

このように、英語を勉強するだけでは得られない、知識や教養を身につけられるラテン語との融合学習を私はおすすめしています。

神話と宗教をひとつながりで学ぶと知識の幅が拡大する

ローマ神話における戦いの神「マールス」の語源の例をあげましたが、神話を勉強しておくと、そこから派生する深掘り学習と融合学習の効果が生まれます。

このようなことを述べると、

「いやー、神話ってなかなか難しいですよね？」

という方もいるかもしれませんが、何も難しい本で勉強する必要はないというのが私の考えです。それこそ、子ども向けの絵本でも十分なのです。

いまは、実にさまざまな子ども向けの神話の本があるので、それらである程度の神話について広く知っておくと、あるつながりが見えてくるのです。

それは、世界の宗教におけるつながりです。

なぜなら、歴史学的・人類学的に見ても、神話と宗教は明らかに連続するひとつながりの文化であって、欧米では宗教と神話とのつながりを論じるのはごく普通のことだからです。つまり、神話と現代的な意味での宗教を融合的に学ぶことで、世界の思想構造が見えてくるのです。

世界にはさまざまな宗教がありますが、たとえばユダヤ教、キリスト教、イスラム教の共通点や違いについて、意外と知らないことが多いのではないでしょうか。

そこで、まずはこの3つの宗教について、簡単におさらいしておきましょう。

▽ユダヤ教

イスラエルを中心に世界で2000万人が崇拝し、古代から現代に至るまでのユダヤ民族（イスラエル民族）の宗教の総称がユダヤ教です。

いまからおよそ2500年前に誕生したといわれ、世の中のありとあらゆる物をつくり出したという天地創造の神「ヤハウェ」が唯一の神だと信じられています。

▽キリスト教

世界のおよそ15億人が信仰する世界最大の宗教がキリスト教です。

いまからおよそ2000年前に生を受けたイエスに由来します（イエスはもともと

ユダヤ教徒だったことでも知られています）。

そのイエスがあるとき、「私はヤハウェの子であり、ヤハウェがいまの世に遣わした救世主なのだ」と発言したことで、ユダヤ教徒は「神を侮辱した」としてイエスを十字架に磔《はりつけ》にして処刑してしまいます。

イエスの死後、イエスの思想であるキリスト教が広まったのですが、つながりで見るとキリスト教はユダヤ教から分かれた新興宗教だったことがわかります。キリスト教の信じる神とユダヤ教の神は、もとは同じヤハウェなのです。

▼イスラム教

中東やアフリカ、さらにはアジアを中心に、世界でおよそ9億人が信仰する世界第二の宗教です。1日に5回礼拝し、「ラマダン」といわれる月には日中は何も飲み食いしてはいけないなど厳しい戒律で知られています。イスラム教は、ユダヤ教やキリスト教よりもずっと新しく、およそ１４００年前に誕生しました。

現在のサウジアラビア・メッカという都市に住んでいたムハンマドという人が、神の啓示を受けます。これを記録したのが聖典「コーラン」です。イスラム教にとっての神「アッラー（唯一の神）」は、実はもとをたどればユダヤ教とキリスト教の信じる「天地創造の神」なのです。

簡単ですが、ユダヤ教、キリスト教、イスラム教についておさらいしました。

宗教にあまり関心がない人からすれば、これら3つの宗教はまったく別の宗教に思えるかもしれませんが、実はいずれも旧約聖書が共通の聖典なのです。

聖書に端を発する彼らが信じる神は同一なのですが、その神をどう受け取っているかが3つの宗教の違いといえるのです。

また、この3つの宗教が「聖地だ」と主張している土地が「エルサレム」ですが、この聖地をめぐって幾度となく争いが行われてきました。

なぜ、対立する3つの宗教の聖地がエルサレムに重なってしまったのかご存じでしょうか。それこそが、ユダヤ教・キリスト教・イスラム教がもとは同じ神を信じる宗教だったということを理解するカギであるといえるわけです。

このように、神話から宗教へと深掘りしながら融合的に学ぶことで、世界の思想構造がしっかりと見えてくるのです。

科学を突き詰め「ヒッグス粒子」と「超ひも理論」を学ぶ

ここで少し話題を変更して、私がカナダで学んだ科学についてお話しします。東大卒業後に私が進んだのは、カナダのマギル大学です。

ご存じではない人のために、マギル大学について簡単に紹介しておきます。

マギル大学は、カナダのモントリオールにある総合大学で、カナダを代表するトップ大学の1つとして知られており、同じくカナダの有名大学であるトロント大学と国内トップの座を競い合っていました。

特に、医学と法学の分野において優秀な人材を輩出しており、過去にノーベル生理学・医学賞を受賞したジャック・W・ショスタクやジョン・オキーフなどがマギル大学出身です。

「モントリオールにある大学なら、フランス語ができないと厳しいのでは？」

よくこんなことを訊かれます。たしかにモントリオールではフランス語が公用語ではありますが、英語も通じます。

マギル大学は、フランス語に囲まれている街中にある、英語が中心の大学でした。そのため、言葉に不自由することなく過ごせましたが、文化の融合という意味で非常に面白い貴重な体験をすることができました。

私がマギル大学で最初に学んだのは科学哲学です。元物理学者のマリオ・ブンゲという先生に師事しました。

ブンゲ先生は、科学的実在論、体系主義、唯物論、創発主義などを組み合わせた哲学の著作を執筆し、「正確な哲学」を提唱して人気を博していました。

私がなぜ、科学哲学を学ぼうと思ったのかといえば、当時私が興味を持った分野が実用的な研究ではなく、科学を哲学的および思想的に考察する研究だったからです。

1年間、ブンゲ先生のもとで科学哲学を学んだあと、転部という形で物理学科に移り、本格的に物理学を学ぶことにしました。

物理学科で私が次に興味を持ったのが、「シミュレーション研究」でした。

そして最初に学んだのが、「ヒッグス粒子」のシミュレーションでした。

ヒッグス粒子とは、万物の質量（重さ）の起源とされ、「神の粒子」とも呼ばれる素粒子（物質をどんどん細かく分割していき、最後にたどり着くと考えられる究極に小さい粒子）です。

2012年7月にその存在が実験で確認され、ヒッグス粒子の存在を提唱したイギリス人のピーター・ヒッグスとベルギー人のフランソワ・アングレールという2人の研究者に2013年、ノーベル物理学賞が授与されました。

物理学の基礎理論にかかわるヒッグス粒子の発見により、宇宙の謎を解き明かす研究が加速すると期待されていますが、彼らがノーベル賞を受賞する何十年も前に、私はマギル大学の修士課程でヒッグス粒子のシミュレーションを学んでいました。

博士課程では宇宙論を学びました。

「超ひも理論の宇宙論」の研究と計算をしていたのですが、皆さんは「超ひも理論」をご存じでしょうか。

少々難しいのでわかりやすく説明すると、超ひも理論とは、相対性理論と量子力学を結びつけ、強い力、電磁力、弱い力、重力という素粒子に働く4つの力を統一できる候補の1つとして考えられている物理学の究極理論です。

「身のまわりの物質はすべて、極めて小さなひもが集まってできている」

これが、超ひも理論の基本的な考え方です。

私は博士課程で、アインシュタインの方程式に「超ひも理論」の補正項を加えたら宇宙の成り立ちはどう変わるのかという研究を、コンピュータを活用してシミュレーションしていました。

実は、超ひも理論で考えると、この世界は縦・横・高さの3次元空間ではありません。アインシュタインの理論でいえば4次元、この「超ひも理論」でいえば6次元か7次元に増えるというものなのです。

結局、私はマギル大学で7年間、学びと研究の虫となって過ごしたわけですが、実際に宇宙の計算にひたすら取り組んだところで、その後の仕事に十分に役立つことはありませんでした。

ただし、そのときの経験はムダになっているわけではありません。

私が校長を務めるフリースクールの生徒たちに、宇宙の不思議についてきちんと伝えられる教養が身についたことは間違いないことだからです。

脳科学と心理学の深掘りと融合的な学びが導いてくれる領域

私が長年取り組んだ科学も、深掘りして融合的に学ぶことで理解をより深めることができるようになっていきます。

たとえば、脳科学と心理学の融合学習がそうです。

現代の脳科学では、人間の脳の働きについてさまざまなことが解明され、現在も発展し続けていることは、皆さんもご存じのことと思います。

でも、脳科学はいつ始まったのか、脳科学という言葉がいつ頃から使われはじめたのかについて、知らない人が多いのではないでしょうか。

脳科学は、実は比較的新しい学問だといえます。

たとえば、脳には「ニューロン」という代表的な神経細胞があります。

ニューロンとは、情報の伝達と処理を担う脳内の神経細胞であり、このニューロンの働きについても本格的に解明されたのは1990年前後のことですから、およそ30

年前と新しい発見なのです。

このニューロンの働きの解明を皮切りに、現代の脳科学では、実にさまざまなことがわかりつつあります。

さて、脳科学は比較的新しい学問であると述べました。

ではそれ以前、科学者は脳についてどのように考えていたのか？

時代をさかのぼってみると、「心理学」の存在が関係しています。

心理学は、もともと1つの学問として確立されたのではなく、多くの学問が融合しながら発展してきたという歴史があります。心理学は、医学や生物学といったさまざまな分野の学問の影響を受けて発展してきたものなのです。

さらに心理学のルーツをたどっていくと、古代ギリシアの哲学にまでさかのぼることができます。

心理学が、古代ギリシアの哲学をもとにしながらも、科学的な考え方にもとづくようになったのは、19世紀に自然科学が発達したことが影響しています。

1879年、ドイツの心理学者ヴィルヘルム・ヴントが、初めて心理学的研究を専門とする研究室をライプツィヒ大学に設立したことに始まります。

ヴントの研究は、心理学を哲学的な考察だけでなく科学として捉え、客観性を持って実証することを重視し、今日にいたる心理学の礎《いしずえ》を築いたといえます。

こうした脳科学や心理学の起源から現代にいたるまでを順を追って学ぶだけでも、さまざまな科学的な教養へとつながり、幅広い見識を高めるきっかけになることに疑いの余地はないでしょう。

ここでは、脳科学と心理学の融合学習について紹介しましたが、心理学を融合学習に取り入れるうえで、もう1つ最適な分野があります。

心理学と行動学の融合学習です。

たとえば、現代政治や社会の構造を分析し、ソ連崩壊やアメリカの金融危機、イギリスのEU離脱などを予言したフランスの歴史学者エマニュエル・トッドの研究がその好例でしょう。

私は以前、エマニュエル・トッドの思考法はいったいどこから生まれているのかについてじっくり考えたことがあります。

その結果、社会における人間の思考や心の動き、あるいは社会構造にもとづいて情勢を科学的に読み解いたことが重要だったという結論にたどり着きました。

人がどのような思想を持ち、どんな心理状態で行動するのか、社会構造と情勢をつぶさに分析し、横断的にさまざまな事柄を深掘りして調査した結果、数々の事象を予言できたと考えると納得がいきます。

エマニュエル・トッドの代表的な著書に、『我々はどこから来て、今どこにいるのか？』（文藝春秋）があります。

これはまさに、私たちが考えるべき、深掘り学習と融合学習のあり方や重要性についての問いかけなのではないでしょうか。

「私たちはどこから来て、今どこにいるのか？」

これを科学的な見方で幅広く、かつ深く考えると、時間軸や空間軸、地球という世界を超えて太陽系や銀河系、さらに宇宙全体といったような広がりを追究することができます。

私はこうした探究心を育てることが、やがて皆さんの深掘り学習と融合学習につながっていくと信じています。

科学や芸術の原点をたどると知識の幅と奥行きが広がる

前述した脳科学と心理学の融合学習以外にも、科学とのかけ算で融合学習の効果を高めることができる分野があります。

物理学や天文学といった自然科学や、動物学や環境学、生物学、あるいは数学といった形式科学から、ＡＩやコンピュータといった応用科学にいたるまで、さまざまなかけ算による融合学習で知識の幅を広げていけるのです。

では、こうした科学全般における共通点を皆さんはご存じでしょうか。

それは「常に具体的なものから抽象的なものに行く」という動きがあることです。

形式科学といわれる数学で説明すると、わかりやすいかもしれません。

たとえば、1、2、3と数えられる数字があります。

こうした数字に加え、小数や分数というものがあって、さらには記号もあります。

そのうえ、記号同士の関係性を論じ始めるというのは、まさに具体的なものから抽象的なものに展開していく思考の典型的なパターンといえます。

科学の世界において、深掘り学習と融合学習の効果を高めるためには、「原点」にさかのぼって学んでおくことが大切になります。それによって、数学に限らず科学全般において知識の幅が広がり、さらに深みへとつながるからです。

「いま、ChatGPTがすごい来ていますよね？」

時々、そのようなことを私に言ってくる方がいます。

そんなとき、私は「そうですね。すごいですよね」と相槌《あいづち》を打っていますが、実際のところ、「いや、ある意味必然的な流れなのにな」と思ってしまいます。

そう思うのには根拠があります。それは、これまでコンピュータの原点から連なる歴史をしっかりと学んできたからです。

私からすれば、ChatGPTのような生成ＡＩが誕生し、世の中を席巻することは以前からすでにわかっていた事象なのです。

ではここで、新たな融合学習をご提案しましょう。

それは、「科学×芸術」というものです。

1つ、わかりやすい事例をご紹介しましょう。

たとえば、美術館に絵画を観に行ったことがないという人がいたとします。絵画もほとんど観たことがないし、自分でも絵を描くことはない。

そのような人が美術館で絵画をぱっと観たときの解釈と、美術の専門家が絵画を観たときの解釈がまったく異なることは、いうまでもないと思います。

「当然のことでしょう」

そのような声が聞こえてきそうですが、では具体的に何が違うのかを皆さんは説明できるでしょうか。

それは、原点を知っているか、知らないかという、知識と経験の奥行きの違いです。これが科学を学び、さらに芸術に触れることで、深掘り学習と融合学習の効果を高めるうえでの共通点でもあります。

自分では絵を描く才能はないかもしれないけれど、美術史を学んである分野には詳しいという人や、さまざまな画家や作家のエピソードが好きという人が絵画を観たときと、普段はまったく美術館に行かないけれど、人に誘われてたまたま絵画を観に行った人とでは、鑑賞における奥行きがまったく異なるということです。

絵画という芸術を鑑賞するうえで、歴史をさかのぼって学びその原点を知っているかどうかで違いが生じるのです。

知識の幅広さや深さは、原点にたどり着くために歴史をさかのぼってさまざまなことを学んだ蓄積のもとに形づくられる、というのが私の考えです。

横断的にさまざまな分野を学び、幅広く深い知識を身につけている人は、芸術家やあらゆる分野の専門家、あるいはプロフェッショナルがやってきたことの歴史を含めて、ある程度理解できるのではないでしょうか。

科学の世界にしても、芸術の世界にしても、融合学習の効果を高めるには「なんかすごいらしいね」で終わるのではなく、「もしかして、この出来事が世界を変えるイノベーションになっているのでは？」という感覚を持てることが大切なのです。

1つのことを極めようとして、たとえば絵画を描いた画家が生きた当時の社会のことなどを学んだりすると、絵画だけでなく他者の作品や仕事を観るうえでも、見方が大きく変わるものです。

それが奥行きのある知識を身につける先にあるもの、つまり活躍し続けられる人になることに通じていると思うのです。

融合学習を加速させるのは
ＡＩ活用によるリスキリング

ここまでさまざまな分野の融合学習について紹介してきましたが、融合学習の対象となる分野はいくらでもあることをお伝えしておきます。

本章の最後に、融合学習でリスキリング力を高めていくうえでヒントになる分野について紹介しましょう。

それは、数学とモダンアートです。

キーワードは、「グラフィックス」です。

たとえば、「自分は数学が得意だ」という人は、グラフィックスとの融合学習をしてはどうか、というのが私の意見です。

グラフィックスは、もとをたどると数学です。

画面上でさまざまな形をつくり出すグラフィックスをどのようにつくるかといえば、コンピュータ上で数式を用いて描いているのです。

たとえば数学が得意な人、特に幾何学が得意な人は、「ウルフラム言語」というプログラミング言語をご存じでしょう。

ウルフラム言語とは、1998年に登場した「マセマティカ（Mathematica）」という数式処理システムで利用するプログラミング言語です。

ウルフラム言語には、次のような特徴があります。

- 汎用性が高い
- 関数型と手続き型の両方をサポート
- およそ6000個の組込み関数が含まれている
- すべては「式」として表現される

ウルフラム言語は汎用性が高く、特に数式処理に強いという特徴を持っており、グラフィックスやデザインの制作において複数のアプローチでプログラムを記述できるメリットがあります。

そのため、データサイエンスをはじめ画像制作や音声処理、ニューラルネットワーク、ブロックチェーン操作などにも利用されています。
プログラミングの特徴としては、6000個の組込み関数が含まれているため、それらを組み合わせることで簡単にプログラムを作成することができます。

また、ウルフラム言語はすべては「式」として表現されます。

たとえば、グラフィックスをはじめ数式やリストなどは、それぞれ異なるオブジェクトですが、すべて式で表すことができるのです。

要するに数学が得意であれば、たとえデザインの経験がなくても、ウルフラム言語に数式を入れて、それをグラフィックスに落とし込む命令を出せば、デザインができるようになるのです。

ひと昔前であれば、イラストやデザインはすべて手で描くというイメージがあったかもしれません。

ですが、いまの時代はたとえデザインを手で描けなくても、数学ができればプロ顔負けのグラフィックスやデザインをアウトプットできる時代なのです。

まさに融合学習によって、新たなスキルを身につけるのにうってつけではないでしょうか。

少し極端な例かもしれませんが、こうした数学とモダンアートの融合学習の先にあるのが、アニメーション制作です。

アニメーション制作で誰もが知っているのが、アメリカのピクサー・アニメーション・スタジオではないでしょうか。

映画『トイ・ストーリー』シリーズや『モンスターズ・インク』『ファインディング・ニモ』などの代表作で知られるアメリカのアニメーション制作会社です。

彼らの制作するアニメーション映画を観たことがあるという人は多いと思います。

実は、彼らのつくるアニメーションの背景や動きには、まさに数式やプログラミングが使われているのです。

数学とモダンアートの融合学習によって、アニメーション映画が好きだけどグラフィックスやデザインのスキルがないから、とあきらめていた人たちにも、ＡＩというパートナーとタッグを組むことで一筋の光が見えてくるはずです。

ピクサー・アニメーション・スタジオで行われているアニメーション制作は、世界トップクラスのクリエイターが数学を用いることで支えられているのです。

次章では、融合学習を加速させるＡＩの活用法について紹介していきます。

第4章

AIとの融合学習が「知識の獲得」を加速させる

労働者の約半分がＡＩに仕事を奪われる時代の到来⁉

第４次産業革命――。

皆さんも一度は耳にしたことのある言葉だと思います。

第４次産業革命とは、「ＩｏＴ（モノのインターネット）」や「ＡＩ」「ビッグデータ」の活用によってもたらされる技術革新のことです。

こうした技術革新により、これまでのビジネスモデルや私たちの生活のあり方が大きく変化しているのが第４次産業革命ですが、問題はここから先の話になります。

これらの技術革新によって、私たちの社会はどう変化していくのか？

たとえば第４次産業革命によって、いずれ消える仕事と残る仕事を分析している研究者たちがいるのをご存じでしょうか。

イギリスのオックスフォード大学のカール・フレイ博士とマイケル・オズボーン准教授が２０１３年に発表した「The Future of Employment（雇用の未来）」という論文

では、米国労働省が定めた702の職業を「クリエイティビティ」「社会性」「知覚」「細かい動き」といった項目ごとに細かく分析しました。

そして、今後10～20年間の技術革新によりアメリカ国内の労働者の47％が仕事をAIやロボットなどにとって代わられるリスクが高いという研究結果が出され、世界中で大きな話題となりました。

「これはアメリカの話でしょう？」と思った方がいるかもしれません。

ですが、日本を分析対象として、2015年に野村総合研究所がフレイ博士とオズボーン准教授との共同研究で国内601種類の職業について同じように分析した結果があります。

それによると、今後10～20年後には、日本の労働人口の約49％が就業している職業がAIやロボットなどに代替される可能性が高いという、驚きの研究結果がはじき出されたのです。[1]

私は、実際にフレイ博士とオズボーン准教授の論文を原文で読んでみました。

もちろん、どんな職業が消えてどんな職業が生き残るのか、それは1つの仮説にすぎません。ただし、少しでも自分の未来を変えて生き残りたいと考えるのであれば、こうしたデータをもとに自分なりに分析し、策を練る必要はあると思うのです。

その論文で私が気になったのは、「消える」可能性のある職業の上位にランクインしている電車の運転士や路線バスの運転手です。

以前からニュースでは、電車の運転士が運転中に居眠りをしたこと、あるいは路線バスの運転手が過酷な勤務ダイヤで事故を起こしたことについて報道されてきました。

ここで1つの仮説を立ててみましょう。

「もし今後、自動運転の技術が目ざましい発展を遂げたらどうなるのか？」

これは、電車の運転士やバスの運転手だけでなく、現在約22万人いるタクシーの運転手にも関係する、極めて重要な職業選択における生存戦略といえます。

皆さんもご承知の通り、近年の自動運転技術の発展には目を見張るものがあります。

特に、「自動運転」というキーワードは毎日のように経済ニュースで取り上げられています。

ここで気になるのは「現在どこまで開発が進んでいるのか？」ではないでしょうか。

私が調べたところ、2021年にはレベル3の機能を搭載した市販車の販売がすでに始まっており、レベル4の自動運転もタクシーやバスでの実証サービスが盛んに行われているとのことです。

オズボーン博士もまた、「無人自動車が普及すれば、タクシーやトラックの運転手が職を失うという現実を、我々は考えていかなくてはなりません」とコメントしています。

では、これらの職業に就いている人やこれから就こうとしている人は、どのように考えていけばいいのでしょうか。

子どもの頃、私は車が好きだったのでタクシーの運転手になりたいと思っていた時期もありました。そこで現在、仮に私がタクシーの運転手だとしたら、同じ業種で生き残る方法と転職とに分けて考えます。

たとえば、介護タクシーや高級ハイヤーなどは、あえて人間が運転することに価値があるので生き残る可能性があります。

一方、普通のタクシーの運転手の仕事はほとんどなくなるでしょう。

次に転職は？　これは無数にありますが、車の運転以外でとなると、リスキリングが必要になるかもしれません。

そのためにも、まずはＡＩについて知るということが大切になると考えられます。

ＡＩの普及に怯える前に基礎的なことを知って準備する

最近、コンビニエンスストアやスーパーマーケットに行くと、多くの店舗で「セルフレジ」を見かけるようになりました。日本のセルフレジは、利用客が自分で商品バーコードをスキャンして精算し、袋詰めをする流れが主流で、何人かのレジスタッフを配置しているのが特徴だといえます。

ところが、アメリカはさらに一歩先に進んでいます。セルフレジではなくレジそのものがないのです。

２０１８年にシアトルで「Amazon Go（アマゾンゴー）」の1号店がオープンしたのは記憶に新しいところですが、アマゾンゴーとはその名の通りアメリカのアマゾンが運営するコンビニです。

ただし、アマゾンゴーはただのコンビニではありません。

ＡＩやコンピュータを駆使することで、なんと店舗でのレジ精算なしで商品を買うことができる画期的な店舗なのです。その仕組みを簡単に説明しましょう。

アマゾンゴーを利用するためには、まず事前にアプリをダウンロードし、クレジットカード情報の登録をしておきます。その後は、入店時にゲートでアプリのＱＲコードをかざし、商品を手にして店を出るだけで精算が完了。接触なしで買い物ができるため、コロナ禍で注目された技術でもあるのです。[2]

こうした産業における情報革命には、一貫したある流れが存在しています。

それは、コストダウンです。

これまで人間が担ってきた労働の一部が、こうした技術革新によってどんどん自動化されていきます。それによって労働賃金などのコストを大幅に削減できる経済的メリットを企業にもたらしているわけです。

自動運転やセルフレジの普及による労働コストの削減はその最たる事例であり、自動運転車や自律型店舗などの機械化・自動化による労働コスト削減の流れは、今後も止まることはないでしょう。おそらくこの先、多くの企業でさらなる機械化・自動化を見越してリストラや早期退職者を募る動きが出てくるはずです。

たとえ一流大学を卒業して上場企業の職に就いているホワイトカラーであっても、

「自分は運転手でもレジ係でもないから大丈夫だ」と高《たか》を括ってはいられません。

オズボーン博士の論じる「職業のオートメーション化」では、ルーティーン化できる仕事はすべてオートメーション（コンピュータ）化が可能だと警鐘《けいしょう》を鳴らしているからです。

一般事務員をはじめ、臨床検査技師や、弁護士の助手、金融機関のコンサルタントや会計士など高度な知識が必要とされる職種でさえ、ルーティーンワークの部分が多くあり、それらがＡＩで代替されるようになれば、その存在価値は非常に危うくなっていくというのです。

ここで先日、北九州で行った講演会でのことをご紹介しようと思います。

学校事務をしている方々の総会で講演したのですが、当然、ＡＩへの不安の声も多く聞かれました。「事務の仕事において、人間がゼロになることはあるのでしょうか」という質問に対し、私は「それはないでしょう」とお答えしました。

なぜなら、ＡＩの仕事を「監査」する人間はいつになっても必要だからです。

また学校事務の場合は、各校に1人くらいしか専任の人がいないので、そもそも数が多くありません。となると現在、学校事務をやっている人が生き残るために必要なのは、ＡＩを使いこなすスキルだけという結論になります。

学校ではなく会社ではどうでしょう。事務員が多い職場にも、すでに自動化の波が押し寄せていて、人数がかなり減っているはず。ですから、ＡＩの使い方をマスターできれば、現在の職場で仕事を続けられる可能性はあるでしょう。

ただし、ルーティーンワークがあまり好きでなかったり、苦になっているのであれば、思い切ってリスキリングにエネルギーを振り向ける方策もあるかと思います。

まずやるべきことは、ＡＩやそれにまつわる技術革新について深く知ること、これに尽きるのではないでしょうか。

多くの企業やビジネスパーソンが第４次産業革命による新しいビジネスを展開しようとしても、おそらくＡＩに関する見識が浅いため、暗中模索をしている状態なのでしょう。

まずはＡＩに関する基本を学び、そのうえで使いこなす知識を身につけることが望ましいといえます。

それには、話題の「ChatGPT」を試してみる、といったことから始めてもいいのではないでしょうか。

「ChatGPT」は学びの救世主か悪か？　それとも両方か？

わからないことを質問したり、何か相談をしたりすると、まるで人間と会話しているかのように自然な文章で答えてくれる「ChatGPT」。

2022年11月、アメリカのベンチャー企業「OpenAI」がChatGPTを公開すると、すさまじい勢いで世界を席巻《せっけん》していきました。

ChatGPTの登場によって、ビジネス社会だけでなく教育の現場にも混乱を引き起こしたことは記憶に新しいでしょう。

世界の教育現場では、悪用を懸念する声がある一方で、教育をよりよいものにしていくために有効な存在だと考える教師などもいるようです。

賛否両論のあるChatGPTは、さまざまな可能性を秘めている半面、課題もたくさんあると指摘されています。

そもそも、ChatGPTは「生成ＡＩ」という人工知能の技術によるもので、学習しているのはもともとネット上にある情報です。

ネットから集めた情報による学習をもとにして、人間が投げかける質問に対応して文章などを作成しているだけで、内容が正しいのか、誤っているのかまで判断して回答しているわけではありません。

現在、教育現場では、読書感想文や大学のレポートを代わりに書いてもらうという事態もすでに起きていて、日本でも東大などが使用に慎重な姿勢を示す動きも出ています。

では、ChatGPTが世間で注目され始めてから数年経ったいま、どのようなことが問題視されているのか、次にまとめました。

- 情報の信憑《しんぴょう》性
- 個人情報の流出やセキュリティ
- 著作権の侵害
- 人間の学習意欲の低下
- 人間の思考力の低下

生成AI利用の文部科学省 指針ポイント

- 使いこなす力を意識的に育てる姿勢が重要
- 課題と成果を検証し、限定的利用から始めるのが適切。特に小学生には慎重な対応が必要
- 読書感想文やコンクール応募作品で生成AIを使ったのに自分で作成したと装うのは不正行為。成績評価に関わる定期テストなどで子どもに使わせるのは不適切
- 生徒の討論で足りない視点を見つけたり、「誤り」を教材にしてAIの限界に気づかせたりする活動が考えられる

続いて、上の表をご覧ください。

これは、文部科学省が小中高校向けにChatGPTをはじめとする生成AIの活用における指針を公表したものです。

AIを使いこなす力を育てることの重要性に言及しつつも、成果と課題をともに検証するという姿勢を示しています。

特に、小学生の利用には慎重な対応が必要だと明記し、読書感想文などで生成AIを利用した場合に、自分の作品と装うことは不正だと指摘したのです。

文部科学省としては、生成AIによって学習効率の向上などのメリットが期待できる一方で、情報漏洩や著作権侵害、創造性や学習意欲が損なわれる懸念があると説明しています。

加えて、学校外でも利用される可能性を考慮し、

情報モラルの教育を充実させる対策が必要だという見解を示しました。

こうした指針に対しては、基本的には私も同じ意見です。

そもそも私は、ＡＩはどんどん利用すればいいと考えています。

その一方で、使い方のルールをしっかりと設ける必要もあると思うのです。

文部科学省の指針で私がもっとも大事だと感じたのは、「ＡＩを使いこなす力を育てること」です。つまり、ＡＩがどこかから情報を引っ張ってきたときに、その内容をしっかり理解できるかどうかが大切だということです。

ＡＩが作成した文章を読んで、理解できないところは自分で調べるなり、もう一度ChatGPTに質問するなりして、自分の知識に変えることができるかどうかが重要なのです。

いかに裏づけできるかがＡＩを使ううえで必要なこと

ＡＩを使いこなす力を育てることの重要性について説きました。

では、実際にどうすればいいのでしょうか。

ここで１つ、ケーススタディを見てみましょう。

たとえばChatGPTに「円周率の証明」について質問を投げかけてみます。

具体的には、ChatGPTが出した文章は、いったいどこから引用してきたのかを質問してみると、次のような回答を得られました。


申しわけありませんが、私が提供した文章は私自身で作成したものです。しかし、内容は数学の教科書、ウェブサイトから得た情報をもとにしており、信頼性が高いと考えています。もしこの文章を引用する場合は、出典は私自身ではなく、円周率に関する一般的な情報源から引用することをおすすめします。

なるほど。ではここからが本題です。

ChatGPTに「円周率をシミュレートするプログラムを書いて」と打ち込むと、実際にそのようなプログラムを書いてくれます。

よく使われるのは、「モンテカルロ法」と呼ばれる方法です。

一辺が2の正方形に内接する円を描きます。この円の直径は2で、半径は1です。その面積はπ×半径×半径なので、要するにπ、すなわち円周率そのものです。

この正方形の面積は4になります。

次に、正方形の中に、たとえば4万個の点をランダムに打ちます。

そして、そのうち円の中にある点が何個あるかを数えます。

まあ、だいたい3万1400個前後になるのですが、このようなシミュレーションから、円周率が約3・14であることがわかります。

重要なのは、これを自分の手で図形を描いて実行できるかどうかです。

学びを自分のものにするためには常にそうした身体性が必要だからです（身体性については次章で詳しく解説します）。

自分で図形を描いて実行し納得できれば、それはいい学びだといえます。

単に3・14……と覚えたとしても、自分で確認できないとまったく意味がないのです。

さらに、ChatGPTのようなAIを使いこなすには、AIがどこかから引用してきた情報に対する裏づけとなるソースを見つけられるようになること、それが肝要なのです。

私は日頃から、引用検索ソフトの「コピーリークス」などを利用して、どれくらい引用されているかを調べているのですが、前述したように教育現場でもこれらの引用検索ソフトは導入されているようです（当然、ビジネスの現場でも必要です）。

たとえばある大学では、学生が論文やレポートを提出すると、先生たちがそうした引用検索ソフトを使って、学生が作成した論文やレポートで生成AIによる引用等の不正がないかどうかをあぶり出しているといいます。

こうしたことを踏まえれば、AIを使いこなすというのは、生成AIを使って作成する文書について、学生か社会人かにかかわらず、自ら引用検索ソフトにかけて精査することまでやる必要があるということです。

もっというと、精査したうえで、さらに推敲《すいこう》を重ねてオリジナリティのある文章に仕上げていくというところにまで持っていくのが望ましいといえます。

それが、ＡＩを利用して文章を作成するうえでのルールだといえるでしょう。

ではなぜ、多くの教育現場で生成ＡＩに対する批判が多く出ているのか？

学生たちの多くが、生成ＡＩを使いこなせていないからでしょう。

繰り返し述べますが、私はどちらかといえば、コンピュータ・テクノロジーをどんどん使うほうがいいという考えを持っています。

さらに誤解を恐れずにいえば、たとえば漢字にしても手で書けなくてもいいとさえ思っています。パソコンや、それこそスマホで正しく入力することができ、意味を理解し、必要なときに使えればそれでいいと思うのです。

そのように思ったきっかけは、手で漢字を書けない子どもに出会ったからです。

私はフリースクールの校長を務めながら、授業も受け持っているのですが、たくさんの子どもを教えていると、漢字の書き取りが苦手な子どもが少なからずいます。

そのとき「漢字くらい書けるようになりなさい！」と言って、長い時間をかけて無理やり漢字を書かせることに意味はないと思うのです。それよりも、その子に応じた学習法で自ら学ぶ意欲を保持することのほうが大事だと考えています。

漢字は書けなくても、パソコンで漢字の入力はできる。変換も間違わずにできる。正しい用法も身についている。それなら、その子にとってはそれでいいと思います。

勉強法には、これだというたった1つの正解はありません。

情報の取捨選択の方法も1つではなく、ChatGPTのような新しいテクノロジーが誕生したならば、それをどんどん使えばいい。

これが私の学び方における基本的なスタンスです。

それだけに、AIを使いこなせるかどうかは大事なポイントになります。

自動運転の車に乗っているときに制御する仕組みを知らないのでは、いざというときに事故に巻き込まれます。これは、生成AIで出された回答を鵜呑《うの》みにすることと同じで、つまりはAIを使いこなせていないということです。

AIを使いこなすためには、どのようなことを学べばいいのか？

ここですべてを説明することはできませんが、当面はおおまかな仕組みを勉強しておくだけでもいいと思います。

たとえば、次の質問に回答できるでしょうか。

「ディープラーニングとはどのような仕組みなのか？」

答えは、人間の脳の学習を真似たコンピュータ・プログラムです。

あるいは、次の質問はどうでしょうか。

「大規模言語モデルとは何なのか？」

答えは、コンピュータが連想ゲームのように次々と言葉を紡ぎ出すシステムのことです。

このように、疑問に思うことについてわかる範囲で仕組みを勉強しておくのと、何も知らずに利用するのとでは、大きな違いがあるはずです。

また、生成ＡＩが生成したものがネットの引用かどうか、それを検知して自分で修正、あるいは引用を明記することができないと困ります。

そのためには、すでに述べたように「盗用チェッカー」を使うことを学ぶ必要があります。

単にＡＩに生成させて終わりではなく、著作権などに触れていないか、ネットのどこかから丸々引用してしまっていないかなどについて、利用する側が把握しておく必要があるのです。

リスキリングで目指すかけ算は「興味×AI」

「新たにこれを学べば次の仕事に生かせる」

「これを学んでおけば失業しないだろう」

リスキリングと聞けば、そのような考え方をしている人たちが多いと感じます。

たとえば、プログラミングはリスキリングでイメージされる代表的なものでしょう。

プログラミングを学んでおかないと時代に取り残されると考えて、プログラミングの基礎から学ぼうとする人がいます。

こうしたいわば「後追い」のリスキリングでは、これからの時代に生き残るのは難しいということに気づいてほしいのです。

いまや、プログラミングができる人は星の数ほど存在しています。

さらに、いまはAIがプログラミングを生成してくれるような時代です。

そこにいまから後追いで参入しても成功を手にするのは難しいといえます。

私は、このことを10年も前から述べてきました。

むしろ、新たな考え方でリスキリングしていくことが大切なのです。

これからの時代に必要となるリスキリングは、「自分の得意分野の知識とスキルを磨いていくこと」だと私は考えています。

「はじめに」でも述べましたが、「この専門分野だったらＡＩにも負けない」という、いわばオタク的な知識やスキルに磨きをかけていくこと、それこそがこれからの時代を生き抜くリスキリングになると思うのです。

プログラミングについても同じことがいえます。

「コンピュータが好きで好きでたまらない」

そんな人であれば、ハイスペックなコンピュータとＡＩを駆使しながらプログラミングを追求していくことが、リスキリングになるでしょう。

そうではなく、「プログラミングがいまの時代に必要なスキル」と世間でいわれているから仕方がなく学ぼうとしているのなら、やめたほうがいいというのが私の意見です。

では、どのような視点でリスキリングに取り組めばいいのか？

まずは自分自身を振り返りつつ、次のように自問してみてはいかがでしょうか。

「自分の好きなことはそもそも何だったのか？」
「子どもの頃に好きだったことは何だったんだろう？」

これらがまさに、皆さんにとってのリスキリングを考えるうえで参考にすべきことではないでしょうか。
自分の好きなこと、あるいは子どもの頃に好きだったことを振り返って深掘りしていく。すると、いろいろなことにＡＩを利用するという選択肢が見えてくるものです。

「〇〇×ＡＩ」

これが、これからの時代におけるリスキリングのキーワードです。
このときに大事になるのが、「〇〇」の部分です。「〇〇」の部分に自分の好きなことや得意分野を当てはめていけばいいのです。

たとえば、「アート×ＡＩ」か、「音楽×ＡＩ」か、「文章×ＡＩ」か、「数学×ＡＩ」か、「英語×ＡＩ」か、「スポーツ×ＡＩ」なのか。それがたとえニッチなものでもいいし、ジャンルを問わなくてもいいのです。

このように、自分の好きなことや得意なことと、ＡＩをどう掛け合わせてリスキリングするかという観点で考えてみてください。ヒントが見つかるはずです。

なかには「自分は昨今のデジタル化の波に乗り損ねて、ＡＩなんてとてもじゃないけど使いこなせない」という人もいるでしょう。

そういう人ほど「〇〇×ＡＩ」のリスキリングのチャンスです。

なぜなら、あなたが苦手にしていることや弱点を補ってくれて、救世主となってくれるのがＡＩだからです。

まずは手始めに、「わからないことをChatGPTに質問してみる」くらいの気軽さでＡＩを使ってみてください。

ＡＩの力を借りることで、自分のスキルが底上げされていくことに気づけるはずです。

誰にでも見つかる、好奇心とＡＩのかけ算によるリスキリング

「○○×ＡＩ」のリスキリングについて、もう１つ重要なポイントをあげておきたいと思います。

一般的にビジネスパーソンが想定しがちなリスキリングは、「自分の仕事×ＡＩ」というものです。

ただ、目の前にある仕事とＡＩを掛け合わせようと考えているのであれば、その仕事が本当に好きかどうかを見極める必要があります。

先にも述べたように、大切なのは「自分が好奇心を持って取り組める何か」とＡＩを掛け合わせることだからです。

「カメラが好き」
「旅行するのが好き」

何でもいいのです。まずは試しに取り組んでみて、「やっぱり楽しいな」と自身の好奇心が刺激されるかどうかを確認してください。

「どうやって好きなこととＡＩを掛け合わせていけばいいのか？」

これがもっとも望ましいリスキリングの考え方なのです。

ここで、もう１つのキーワードが出てきます。

それは、「好奇心」です。

私の好奇心を刺激することの１つに、「コンピュータをいじる」というものがあります。昔からコンピュータをいじっているのが大好きで、時間を忘れて没頭してしまうくらいでした。

私のコンピュータに対する好奇心を、ＡＩと掛け合わせてリスキリングできないかと考えたときに思いついて、実行したことがあります。

私のフリースクールに通う小学６年生を対象に「生成ＡＩとプログラミング授業」という形で、私の好きなコンピュータいじりを１つの授業として成立させたのです。

これが、自分の好き（好奇心）をAIと掛け合わせて仕事にするという、1つの発想パターンです。

もう1つ、ある事例をご紹介しましょう。

私がカナダに留学していたときに知り合った日本人の友人にまつわる話です。

彼はとても頭がよく成績も優秀で、ブリヂストンという誰もが知る一流企業に勤めていました。ところが、久しぶりに会って話をしていると、「いや〜、実は会社を辞めてね。いまは〝お花〟をやっているんだよ」と言うのです。

「ん……!?　お花……??」

彼の話をすぐに理解できなかった私は、「お花って……、退職して花屋でアルバイトでも始めたの？」と訊くと、彼は「いやいや、いまね、やっと自分の生きがいを見つけてね。小原流という華道の師範をしているんだよ」と清々しい顔で言うのです。

そんな彼が、続けてこのようなことを言っていました。

「自分はこれまで必死に働いてきたけど、自分の会社人生を振り返ってみたら何も残っていなかった。それなりに一生懸命やってきたつもりだったけど、いざ定年を迎える時期に差し掛かったとき、結局、私にとっての仕事は自分の生きがいではなかったことに気づいたんだよ」

そんな彼が、いまやっと生きがいを見つけた。それが華道です。

彼は時々、私のフリースクールにも教えに来てくれているのですが、彼の表情を見ているといつも「イキイキしているな」と感じます。

なぜ、彼は一流企業を辞めてまで華道に全力投球しているのか？

彼のお母さんがもともと小原流の師範で、幼少の頃から華道に親しんでいたからだそうです。

社会人になってからも、お花が好きで華道を好きで続けていたといい、定年退職を待たず華道を自分の生きがいにしているというわけです。

そんな彼に、私が提案しようと思っているのは、「華道×ＡＩ」というもの。

これこそがリスキリングの本質であり、ＡＩというテクノロジーをフル活用しつつ、彼の好奇心を刺激しながらさらなる知識の獲得とスキルの向上へとつながっていくに違いありません。

英語とＡＩの融合学習で大切なのは論理的な日本語の表現力

「ビジネスで英語の必要性に迫られている」

「海外転勤を命じられて必死に英語を勉強している」

最近ではまた、こんなケースも増えているのではないでしょうか。

こういう場合は、第3章で述べた「英語と国語を融合的に学ぶ」という方法はおすすめできません。それはなぜか？

ビジネスで英語を使わなければならない、あるいは海外に転勤になったという場合は、英語だけを集中的に勉強したほうがいいからです。

そもそも英語と国語を融合的に学ぼうとすると、ある癖がついてしまいます。

日本語と英語を常に翻訳するという癖です。

頭の中で日本語を考えて、それから英語に翻訳するというワンクッションを置くことになってしまうので、文章を読んだり書いたり、あるいは会話をするなかで限界が生じます。英語を聞いて、日本語に翻訳するという場合も同じです。

英語の習得に関しては第1章でも述べた通り、私自身も経験していることなのですが、日本語と英語の翻訳をせず、英語だけを勉強する方法がベストだといえます。

そうはいっても、短期間で英語を理解できるようになったり、ペラペラ話せるようになったりするのは簡単なことではありません。

それでも、目の前の仕事や自分の置かれた状況において、英語で対応しなければならない。

その場合はどうすればいいのか？

簡単です。英語とＡＩの融合学習をすればいいのです。

これは、ＡＩを活用して英語を学ぶ、あるいは英語を使うことに慣れていくということですが、ビジネスパーソンにとってのリスキリングにも通じる融合的な学びとなります。

たとえば、英語ができないにもかかわらず、仕事で英語の見積書や契約書の作成をしなければならなくなったとしましょう。

そのようなとき、迷わずＡＩの翻訳ソフトを活用することをおすすめします。

これからの時代の英語学習というのは、いかに英語の読み書きができるようになるか、ペラペラ話せるようになるかよりも、いかにうまくＡＩを活用して英語を使えるようになるかのほうに舵を切るべきなのです。

ただし、海外で生活したり、留学したりするとなると話は別です。

そうした場合は、すぐに使える英語力が求められますので、ＡＩの力を借りずに自身で英語を読んだり、書いたり、話せるようにトレーニングする必要があります。

一方で、英語を学ぶ時間がある場合、まずはどのＡＩ翻訳ソフトがいいかというところから始めてみてください。

「グーグル翻訳」がいいのか、「DeepL」がいいのか？

自分で使ってみてはじめてわかることです。

もちろん、ＡＩの翻訳ソフトを活用したからといって、そのまま使える見積書や契約書ができるわけではありません。文章や法的なチェックなども必要です。

皆さん自身で確認できるのが望ましいのですが、それが難しいようなら、まわりにいる英語が得意な人に最終チェックをしてもらうなどのプロセスを経るようにしましょう。これもＡＩを使いこなすということと同じ考え方です。

さて、ここまで英語とＡＩの融合学習を提案してきましたが、ここであることに気づいた人もいるのではないでしょうか。

それは、他言語を学ぶことで身につく、言葉の持つニュアンスです。

これからの時代はいかにＡＩソフトを活用できるかが重要と述べましたが、たいていの場合においてある課題に直面します。

それは、翻訳ソフトを活用するための言葉の表現スキルです。

先に述べたビジネスで必要になる英語の見積書や契約書をＡＩソフトで作成するといったとき、求められるもっとも重要なスキルは論理的な日本語の表現なのです。

翻訳ソフトに日本語を打ち込むときに、ＡＩが正確な英語に変換しやすいように論理的な日本語を書く必要があるということです。

ＡＩの翻訳ソフトを使っていて混乱が生じるのは、日本語の文章に主語や相手の情報、相手との関係性が欠けているからで、そうなると間違って翻訳されてしまうことが多いのです。

論理的な日本語で正確な情報を書けると、ＡＩがより正確な英語に翻訳してくれるというわけです。

ＡＩを活用して自分の考えやアイデアを世に送り出す

「漫画家になりたい」

「小説家になりたい」

こんな夢を持っている人もいるかもしれません。

あるいは、絵を描くのも文章を書くのも好きでやってはいるけれど、それを仕事にするのは難しいだろうと思って、夢を断念してしまった人や、夢をあきらめかけている人もいるでしょう。

でもいま、時代は大きく変わりつつあります。

ＡＩをパートナーにしてタッグを組むことで、夢を現実のものにするチャンスが高まっているのです。

たとえば、漫画家になりたいと思っているのであれば、少しはマンガを描くことはできると思いますが、ＡＩに仕上げを頼むなんていうこともできます。

あるいは、文章を書くのが好きだという人であれば、自分で書いた文章をＡＩに添削してもらうことで推敲を重ねた原稿を完成させることもできます。

いまはそんな時代に突入しているのです。

皆さんは、「デザインＡＩ」をご存じでしょうか。

デザインＡＩは、その名の通りアートやデザインの分野で活用されているＡＩです。ディープラーニングの向上によって、ＡＩが応用される範囲が広がり、アートやデザインといったクリエイティブな領域でも、ＡＩによる作業の手助けが可能になっているのです。

このことをリスキリングに生かさない手はありません。

たとえば、文章をもとにして画像やデザインイメージを生成してくれる機能や、大量のデザインデータから用途に合うパターンを瞬時に提案する機能などがあります。

ほかにも、画像編集やロゴ制作などでも、デザインＡＩの機能が活用されています。

デザインＡＩが、人間のクリエイターやデザイナーに代わって活躍するシーンは、今後さらに増えていくと予測されているのです。

デザインＡＩの助けを借りて制作したマンガの原画や小説の原稿を出版社に持ち込

んで、自分のマンガや小説を出版できる可能性が高まるかもしれません。あるいは自分でネットなどで公開することもできます。

いまや、自分の好きなことを仕事にする可能性はどんどん広がっているのです。

「Real artists ship.（本物のアーティストは出荷する）」

これは、Apple の創業者であるスティーブ・ジョブズが初代 Macintosh の開発を進めていたときによく口にしていた有名な言葉です。

Macintosh の開発が遅れ、発売が予定より遅れそうになったとき、ジョブズはこのように言ってスタッフを鼓舞していたといいます。

サイエンス作家として活動している私にとって、敬愛するジョブズのこの言葉は格言ともいえるものですが、私は次のように解釈しています。

「いまの時代、どんなに素晴らしいアイデアや考えがあっても、それを形にして世の中に出していかなければ伝わらず、きっと埋もれてしまう。だから、何としても自分のアイデアや作品を世の中に出荷していく。そのためならＡＩでも何でも活用する」

ただし、ＡＩに頼るだけではいけません。マンガや小説などクリエイティブなものをＡＩに任せきりにしてつくっていくと、似たり寄ったりの作品ばかりが生まれてしまうからです。

そこで大事になってくるのがオリジナリティ、すなわち「原案」です。

絵は、たいしてうまくない。

文章は、たいしてうまくない。

こうしたことは、デザインＡＩがサポートしてくれるでしょう。

ただし、作品のオリジナリティの部分、つまり原案は人間が考えなければならない領域だということです。

その創造性を養っていくためには、深掘り学習と融合学習で幅広い知識を身につけたうえで、次の章で紹介する「思考センス」を磨いていくことが大事なポイントになります。

第5章

「思考センス」と「身体性」が知識を一生ものの「知力」に変える

「自分のもの」になっていない日本語は不自然で読みにくい

まずは、思考センスを高めるための融合学習の活用について解説していきます。

思考センスと聞いて、私が真っ先に思いつくのは言葉の思考センスです。

言葉は思考に影響を与え、思考は言葉に影響されますから、思考センスを考えるうえで言葉選びを取り上げたいと思います。

たとえば、私は翻訳家でもありますから、ここでは「英文和訳×自然な日本語」というもので考えてみましょう。

「英文を和訳するとき、いかに自然な日本語で表現できるか？」

これは、学生だけでなく、ビジネスパーソンにとってもなかなか難しいのではないでしょうか。

そこで、まずは私のフリースクールに通う子どもたちの例をご紹介しましょう。

私のスクールにはバイリンガルの子どもたちが通っていますから、子どもたちに英文を和訳させると、小学校の中学年くらいまでは比較的自由に和訳しています。子どもたち自身が英語を読んで理解したものを、何となく感覚的に自分が普段よく使う日本語に変換しているのです。

小学校の中学年までは、これが自然で正しい方法だと私は考えています。辞書を使うことにも慣れていないため、言葉の使い方も自由な発想でつくることができます。

ところが、高学年になってくると少し変化が出てきます。辞書を使うことにも慣れて知恵がついて、語彙力が増えてくるからでしょう。

そのとき意外にも、辞書で引いた言葉をそのまま使いたがるのです。

たとえば、「勤勉」とか「忍耐力」といった漢語系の難しい言葉がそうです。

これらはおそらく、子どもたちが日常で使ったことがない言葉です。

そうした辞書に載っている言葉をそのまままつなげて英文和訳すると、どのような表現になるのか？ 皆さんのご想像通り、いわゆる直訳調のあまり褒められない翻訳文（日本語）になってしまうのです。

こうした直訳調の英文和訳で正解になるのは、学校のテストや受験のときだけ。多少日本語としての文章がおかしくても、たとえわかりにくくても、いかに正確に翻訳するかが求められる試験では、点数を引かれることはないでしょう。

ただし、直訳調のわかりづらい英文和訳は、学校ではよくても、社会に出てビジネスの場となると使いものになりません。

なぜなら、そうした文章は自然な日本語どころか、読んでも意味がわからないからです。こう断言できるのは、私自身が社会に出て翻訳という仕事を長年やってきたからです。

私が英文を日本語の文章に翻訳するときに、自然な日本語にするためにいつも気をつけているのは、「自分が普段使わない言葉は使わない」ということです。いくら辞書に書いてあっても、知らない言葉は使わないようにしています。

こうした心構えひとつで、私たち人間の思考センスは磨かれていくのです。きっと、皆さんにもあると思います。

「この言葉は生まれてから一度も使ったことないな」という日本語が、です。

そのような言葉は翻訳のときに使ってはダメなのです。なぜなら、一度も使ったことがない言葉というのは、「自分のもの」になっていないからで、それでは他者に伝わりづらくなります。

私が翻訳の仕事で、「この言葉をどうやって翻訳すればいいのか」と悩んだ言葉がこれまでにもいくつもありました。

1つ例をあげると、「dynamics」という言葉がそうです。

これを直訳すると、「動力学」という日本語になるのですが、皆さんはこの動力学という言葉を読んですぐに理解できるでしょうか。

おそらく、大半の方はイメージがわかないはずです。

すなわち、それは自然な日本語ではないということです。

そもそも、力学というのは「静力学」と「動力学」の2つから成り立っています。物体の運動を扱う力学を動力学といい、逆に物体が静止しているときの状態を扱う力学を静力学といいます。そうした違いを前提として、どうやって力学に詳しくない一般の人たち向けに翻訳するか。間違っても、ここで安易に「動力学」と翻訳してはいけないと思うのです。

大事なのは、前後の文脈でもっともぴったり来る言葉を頭の中の倉庫から探し出して、パズルのピースのようにはめ込むことです。

そこで私は最終的に、「力学」と翻訳することにしたのです。

翻訳だと気づかないほど自然で読みやすい言葉を選ぶ思考センス

「dynamics」を「力学」と翻訳したエピソードには続きがあります。

少しだけ触れておきましょう。

その翻訳書が発売されたあと、私はある物理学の専門家から、次のようなお叱《しか》りを頂戴しました。

「この翻訳は原文と違っている。不正確だ」

たしかに、専門家からすれば「動力学」をただの「力学」と翻訳したことに大きな違和感を抱いたのでしょう。

ですが、私はそれでも自分の訳した「力学」こそが、その本にとっての自然な日本語であったと考えています。

なぜなら、その本は専門家たちに向けて翻訳されたものではなく、一般の人向けに翻訳されたものだったからです。

もし、物理学にあまり詳しくない人が読めば、「力学」という言葉に「動」という言葉を入れることによって、逆に混乱してしまう可能性があります。

動力学と静力学の区別をしっかりできる人にとっては、「動力学」と翻訳したほうがいいでしょう。ですが、最初からその区別ができていない人に対して「動力学」と翻訳しても、自然な日本語とはいえません。

長年、翻訳という仕事をやってきてわかったことがあります。

それは、一流と二流の翻訳家の思考センスの違いです。

たとえば、いちいち辞書を引いて単語の意味を調べて翻訳している翻訳家というのは、二流の翻訳家なのではないでしょうか。

一方で一流の翻訳家は、あまり辞書を引かずに自分の言葉で翻訳します。

なぜなら一流の翻訳家は、すべての言葉が自分の頭の中に入っている、つまり言葉を「自分のもの」にしているからです。

これは、ピアニストの場合で考えても同じことがいえると思います。

たとえば、ジャズ音楽をピアノで弾くときに、楽譜を見て弾くのが二流のピアニストだとしたら、一流のピアニストは楽譜を見ずに自由な表現で演奏ができます。

お手本がないとできないのが二流で、自分のものにしているのが一流です。

このように捉えると、翻訳の世界にも「自然な日本語」を選ぶという思考センスがあることをご理解いただけると思います。

翻訳における思考センスとは、「いかに辞書から離れて、自分の頭の中にある言葉で表現できるか」ということなのです。

そしてもう1つ、私には翻訳家として自然な日本語を選ぶうえでの基準があります。

それは、翻訳であるということに気づかない日本語になっているかどうかです。

そもそも翻訳書には、「翻訳」という作業が入るわけですが、その本を読んだときに「翻訳書である」ということに気づかないまま読んでもらえる日本語が、自然な日本語であると思うからです。

ここで、翻訳をより理解するための簡単なヒントを1つご紹介しましょう。

私がまだ翻訳家として駆け出しの頃、英語の一文をそのまま正確に一文ごとの日本語に翻訳するということを心がけていた時期がありました。

ですが、翻訳という仕事を続けているなかで、英語の一文を無理やり日本語の一文に翻訳すると、どうしてもわかりづらくなってしまうことに気づいたのです。

それはなぜか？

いわゆる「翻訳調」の文章になってしまうからです。

英語と日本語の言語構造が違うわけですから、当然といえば当然のことです。

そこで英語の一文をわかりやすく翻訳するために、2つの文章に分けてみたところ、見事に自然で読みやすい日本語の文章に仕上がったのです。

このように、型にはまることなく的確な言葉を選んで翻訳することが自らの思考センスを磨き、自然で読みやすく伝わりやすい日本語を選択する秘訣になるのです。

ただし、自然な言葉を用いて自由に翻訳することと、自分本位で翻訳することは意味が違います。翻訳で心がけなければいけないのは、原著者が伝えたいことを正確に伝えることです。このことを忘れてはなりません。

原著者の意図が伝わるような日本語訳であれば、逐語訳から離れた翻訳文であっても、問題はないと思います。

翻訳書であったとしても、読者にとって、自然でわかりやすい日本語で読めるのが望ましいからです。

わかりやすい言葉選びの意識が言語の思考センスを高める

言葉の思考センスは、当然ながら英語にも存在します。

英語における言葉の思考センスということを考えたとき、私がおすすめする融合的な学習とは「英語×言葉の選択力」というものです。

思考センスといわれれば、何か気取ったことをイメージしがちですが、私はむしろ、いかに自由にその言葉を選択して使えるかが、自然で伝わりやすい言葉になると考えています。

私が英語を話すときに心がけていることの1つに、「ラテン語系の言葉はなるべく使わない」があります（なお、英語とラテン語の融合学習とは目的が違います）。

たとえその言葉を知っていても、使わないようにしています。

たとえば、「眼科医」のことを英語では、「ophthalmologist」といいます。

これがいわゆる、ラテン語系の言葉です。

私はこの言葉を使わず、子どもでもわかる「eye doctor」に置き換えるのです。ニュアンスとしては、「目医者さん」という感じです。

このように、なるべく長いラテン語系の単語を使わないようにするだけで、言葉の思考センスが磨かれていくのです。

ここで大事なのは、相手やその環境に応じて言葉を選ぶということです。コンテクストに目を配ると、さらに言葉選びの思考センスに磨きがかかります。

もう1つ例をご紹介しましょう。

たとえば、「花粉症」という言葉があります。

これを学術的な英語でいえば、「pollen allergy」となります。

この「pollen allergy」を日常的な会話において、そのまま使うのは自然な英語表現ではありません。

アメリカやカナダ、イギリスなどの英語圏では、一般的に「hay fever」という言葉が使われています。

このように、わかりやすく誰でも知っているような言葉を選択することで、英語における思考センスを高めていけるようになるのです。

もう1つ、お伝えしておきたいことがあります。

私がこれまで多くのビジネスパーソンと仕事をしてきたなかで、「これは美しくないな。むしろ不自然だな」と感じている言葉の使い方があります。

それは、日本語に「英単語」を混ぜる話し方です。

会話のなかでちょっとした英単語を混ぜて使うことは、「自分はこんな単語を使いこなしているんだ」という自己顕示欲の現れかもしれません。

ですが、私としては「その言葉をわざわざ英語で言う必要はあるの？」と疑問に思ってしまいます。

「ビジネス用語」といってしまえば聞こえがいいですが、日本語でも十分に伝わる言葉をわざわざ英語に置き換えて話すことには、注意が必要です。

言葉の選択という思考センスから遠く離れてしまうからです。

たとえば次の言葉を聞いて、皆さんも「何か変だな」と思うことはありませんか？

「その件でしたら、上司にヒアリングしてから追って連絡します」

日本のビジネスシーンでは、「相手の話を聞いて情報収集をしたり、確認を取ったりする」という意味合いで「ヒアリング」という言葉を使っているようです。

ただし、英語の「hearing」はもっと受動的で「聴覚、聴力」「聴問会」といった意味を持ちますので、確認するという意味合いで「ヒアリング」という言葉を使うと、本来の英語としては通じません。

先の会話で「ヒアリング」を英語で表現するなら、厳密にいうと「ask」や「confirm」といった言葉を状況に応じて使うほうがいいでしょう。

それ以前に、思考センスという意味では、無理に日本語に英語を挟み込むよりも、そのまま日本語だけで表現するほうが伝わりやすく自然です。

ただし、ＡＩ業界などを中心に日進月歩で新しい概念が生まれているのも事実です。その場合は、新しい言葉が生まれるたびに日本語に訳している暇はありません。

したがって、日本語に置き換えるのが難しく、英語でしか表現しようがない言葉の場合、日本語に英語を混ぜて話しても、思考センスを損なうことはないということを覚えておいてください。

古典芸術とイタリア語の学びで磨かれた思考センス

続いての思考センスを高める融合的な学びは、「古典芸術×ヨーロッパ言語」です。思考センスを高めるために言葉の選択を突き詰めていくと、芸術的かつ歴史的なものの存在を無視することはできません。

芸術や歴史を上手に学ぶことによって、自らの思考センスそのものに気づくことができるからです。

そこで皆さんにお伝えしたいのが、「古典芸術」と「英語以外のヨーロッパ言語」の融合学習というものです。

この融合学習については、ある知人の例を紹介したほうがわかりやすいと思いますので、その方のエピソードとともに一緒に考えてみたいと思います。

美術館の運営や管理研究といった美術館学の専門家である、岩渕潤子さんという方と対談したときのことです。

岩渕さんがアメリカの大学に在学していたときの話をしてくれたのですが、美術館学の専門家になるために、当初は現代美術と英語を徹底的に勉強しようとしていたといいます。

ところが、当時の指導教官に「美術館学の専門家になるためには、現代美術と英語を学ぶだけでは通用しない。最低でも何カ国語か、ヨーロッパ言語を学びなさい」といったアドバイスを受けたと話してくれました。

美術系の専門家の世界で必要とされる代表的な言語はイタリア語ですから、岩渕さんは指導教官のアドバイスを参考にして、イタリア語を集中的に勉強することにしたそうです。

あるときイタリア語の試験があり、その試験にパスできれば奨学金をもらえるということで、岩渕さんは必死に勉強を続けました。

そして、見事その試験にパスして奨学金の条件をクリアできたそうです。

それでも岩渕さんは、なぜ指導教官が美術館学の専門家になるためにはヨーロッパの言語を学ぶ必要があると言ったのか、その疑問は残ったままだったといいます。

その後しばらくして、岩渕さんはイタリアのフィレンツェに古典絵画の視察に出かける機会に恵まれました。

岩渕さんはそこでの体験から、それまで学んできたことを含めて人生観がガラッと変わったというのです。

「自分はこれまで、現代美術を研究していましたので、古典的な芸術などむしろどうでもいいとさえ思っていました。でも、フィレンツェで観た古典絵画にあっという間に心を奪われてしまったのです」

その後、岩渕さんは心を決めて、あらためて美術史を学び直したそうです。

すると、美術史を学ぶには各国の専門家が書いた文献や論文を読まなければならず、その際にかつて学んだイタリア語が大いに役立ったというのです。

それから何年かが経ち当時の指導教官に会ったときに、次のように訊いてみたそうです。

「なぜ、私は古典絵画にあれだけの衝撃を受けたのでしょうか？」

すると、指導教官は、

「それはね、単純なことなんだよ。現代美術というものは、まだ淘汰《とうた》されていない芸術だよね。いま、キミが観ている現代美術は100％存在している。これが100年後、あるいは500年後にどれぐらい残っていると思う？」

と岩渕さんに問いかけて、次のように続けたといいます。

「その一方で、キミがフィレンツェで観た絵画はね、500年以上経ったいまでも残っている。当然それは当時100％だった絵画のうちの1％、いや0・1％ぐらいの確率で残ってきた絵なんだよ。残ってきたことには、それなりの理由があるんだ」

岩渕さんは、指導教官の言葉に心の底から納得したそうです。


ここからは私の推測ですが、おそらくその指導教官も、岩渕さんと同じような体験をしたのではないでしょうか。

指導教官自らが、専門とする西洋の古典芸術を学ぶなかで、英語以外のヨーロッパ言語を学んでおく必要性を感じたのかもしれません。

岩渕さんは、このような融合学習によって得た教養を、いまの現代美術作品の評価に生かしているというわけです。

知識は「身体的に獲得」してこそ「自分のもの」にできる

「身体性」と聞いて、皆さんは何を想像しますか？

まずは簡単に言葉の意味を説明しましょう。

身体性とは、身体を通じて感じたり、知覚したりすることを表す言葉です。身体性は、人間の知覚や行動の根源的な部分であり、私たち人間が自らの身体の特徴を理解し、身体を使って社会の中で認知したり行動したりすることです。

身体性を理解するためによく使われるモデルの1つに、「ホムンクルス」というものがあります。

次ページの図をご覧ください。なんだか奇妙なイラストが描かれていますね。

このイラストは、カナダの脳神経外科医ワイルダー・グレイヴス・ペンフィールドらによって描かれたホムンクルスです。ホムンクルスは、人間の身体部位を模したイラストで、身体の各部分の大きさは脳の活動領域の広さに対応するように描かれてい

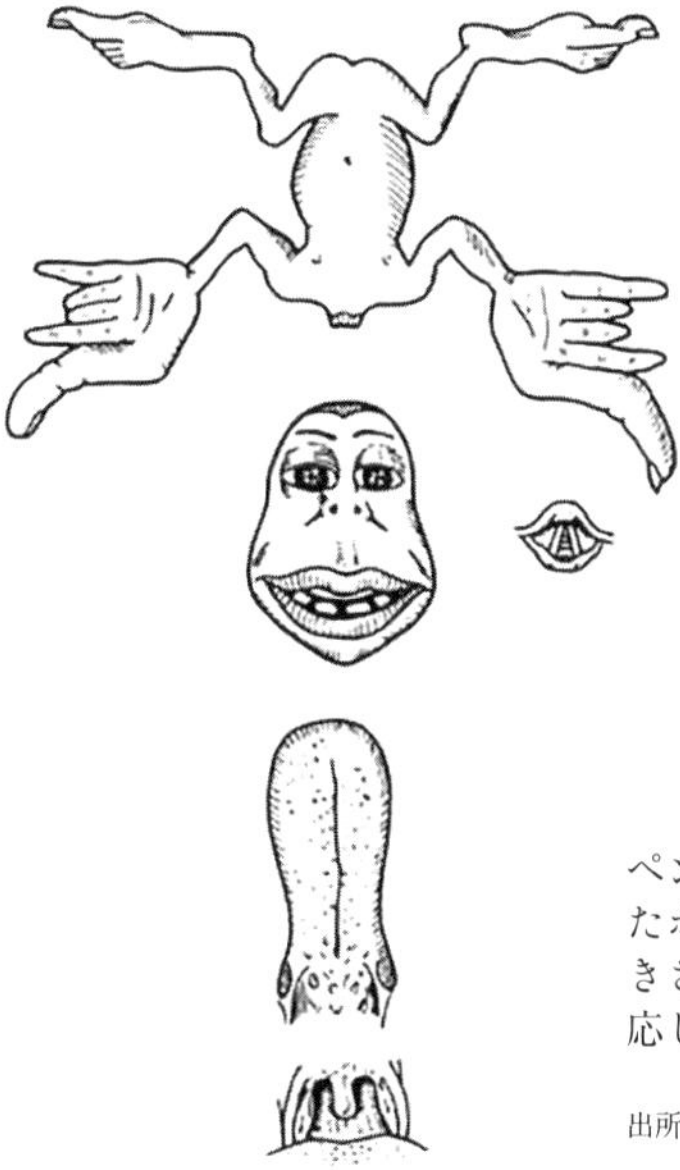

ペンフィールドとボルドレイが描いたホムンクルス。身体の各部分の大きさは運動野の活動領域の広さに対応して大きさを変えてある。

出所：Penfield and Boldrey, 1937 より改変

ます。

たとえば、手の大きさに着目してみてください。

手は大きく、親指は長いことがわかります。もともと人間は、手先を使って文明を築いてきましたから、手や指に対応する脳の活動領域が広いのもうなずけます。

つまり、普段の脳の活動が、身体のさまざまな部位の感覚や動きに影響しているということがいえるのです。

では、話を戻しましょう。

皆さんも何気なく身体性とい

う言葉を使っているかもしれませんが、実は「身体性と学び」の間には強い相関関係があるのです。

私たちが何かを学ぶときは例外なく、感覚や体験を通して実践したことを学習することで知識やスキルを蓄積しています。

この身体の感覚を伴う実践学習こそ、人間とＡＩの差だともいえます。

ところが、情報があふれかえるテクノロジー主体のＡＩ時代では、感覚や体験を通して実践的に学ぶ機会、つまり身体性を伴う実践学習の機会が減少しています。

これによって失われつつあるのが、「自分のもの」にするという感覚です。

何かを学んでスキルを身につけようとするとき、感覚を伴う体験をして実践的に学んでいかないと、身体性がある学び、つまり「自分のもの」にはならないのです。

たとえば、第４章で述べた円周率の話にしても、ただ数学の教科書を読んで「なるほど、これで証明されているんだ」で終わってしまえば、それは自分のものになっていないわけです。学校で教わる円周率の暗記がまさにそうです。

一方で、数学が好きな人というのは、実際に自分の身体を使ってその証明を再構築しようと試みるものです。それは、料理に例えるとわかりやすいかもしれません。

レシピを知っていても、実際に料理してみるとなぜかうまくつくれない。そこで試行錯誤しながらやがて自分の料理として完成できるといったことです。

円周率も同じです。面積から攻めてもいいですが、別の方法で体感することも可能です。そのために、実際に三角形を円の中に描いて、その三角形の周の長さをまず計算してみる。その過程で壁にぶちあたることもあるでしょう。

そこでたとえば「ピタゴラスの定理」というものがあることに気づく。そうした身体性のある学びが「自分のもの」になるということです。

計算するためには、まず自分で図を描くことが必要です（次ページの上の図参照）。このときフリーハンドでかまいません。直径が1の円を描きましょう。その円に内接する正三角形を描きます。

次に、正三角形の一部に注目します。そこには、誰もが学校で教わる「1対2対ルート3」の辺の比率の直角三角形があります。そう、三角定規の形ですね。「1対2対ルート3」を覚えていない人は、一辺が0・5の正三角形の高さを、ピタゴラスの定理を使って求めてみてください（次ページの下の図参照）。

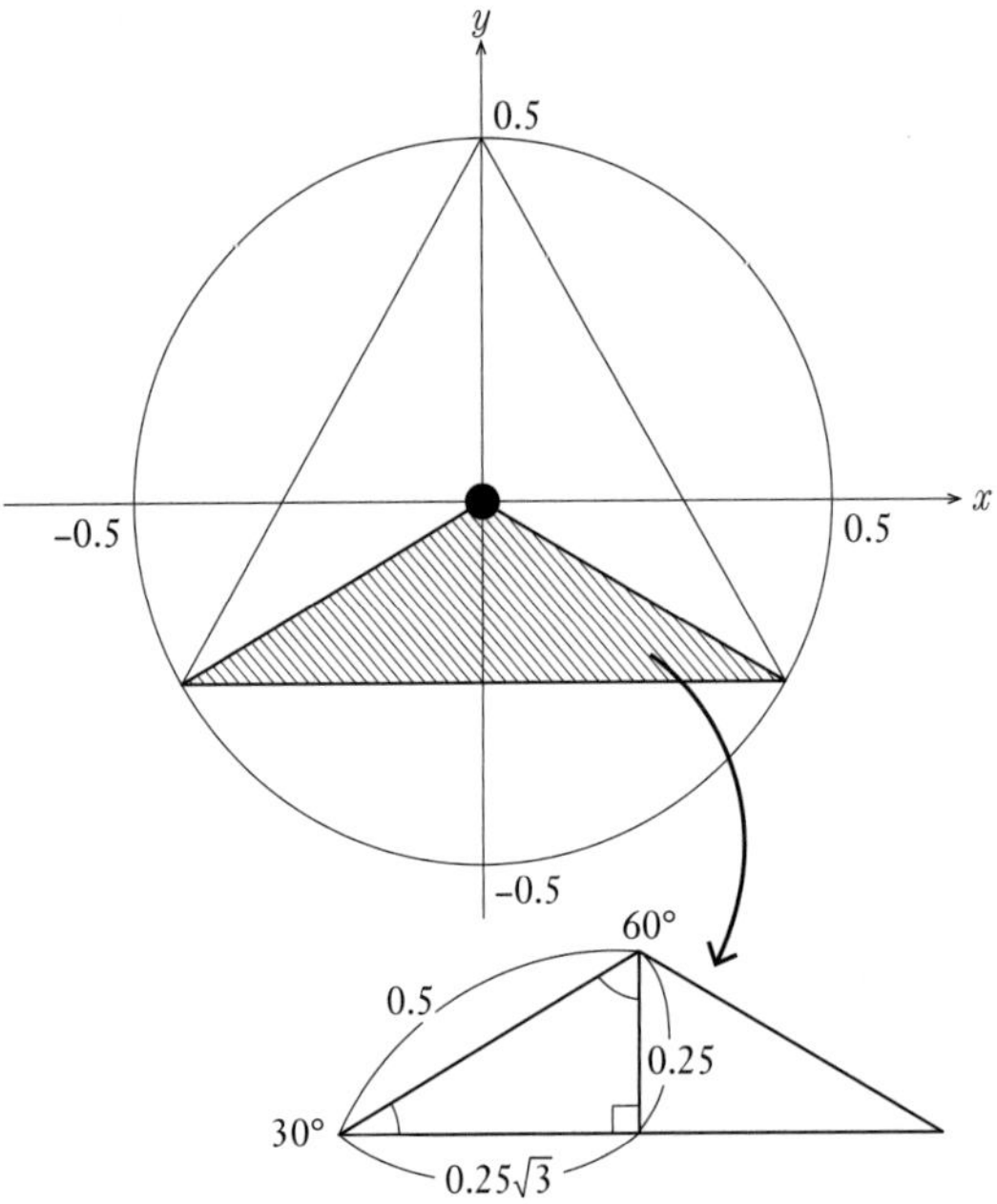

y
0.5
x
-0.5
0.5
-0.5
60°
0.5
0.25
30°
0.25√3

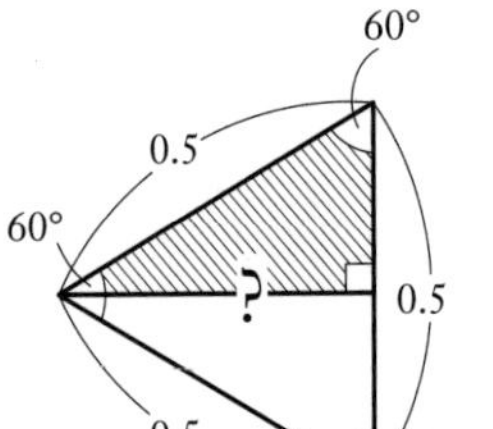

60°
0.5
60°
?
0.5
0.5
60°

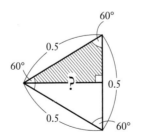

高さを「?」と置くとピタゴラスの定理から、

$$0.5^2 = 0.25^2 + ?^2$$

という式が得られますので、?が、0・25×$\sqrt{3}$だと計算できます。

ここまでわかれば、円に内接する正三角形の周囲の長さは、0・25×$\sqrt{3}$の6倍だとわかり、$\sqrt{3}$の概数を「ひとなみにおごれや」と覚えていれば、0・25×1・73×6＝2・595となり、だいたい2・6だと計算できます。

また、円に外接する正方形を描いてみれば、その周囲の長さは4だとわかりますから、円周率は、2・6から4の間の数だと理解することができます。

正三角形の代わりに正六角形で同じように求めれば、円周率の下限の精度が高くなり、正八角形を使えば、さらに円周率の値を狭めることができるのです。

このように、数学も身体性を伴う学びをすると、「自分のもの」にして一生ものの知識にできるようになります。

学びの身体性を獲得するには「耳」のトレーニングが最適

ここで、身体性を獲得するための融合学習の例をご紹介しましょう。

それは「音楽と英語」です。

皆さんも想像できるかもしれませんが、音楽と英語はまさに身体性を獲得するのにうってつけの融合学習だといえます。

まず音楽については、楽器演奏の習得で考えるとわかりやすいかもしれません。

たとえばピアノを学ぼうとすると、最初は楽譜通りに弾くことが求められます。

楽譜を見ながら正確に弾く、これが基本中の基本です。

とはいえ、基本だけを続けていても上達できません。基本的なことを学び終えたら、次のステップとして、自分なりのアレンジを加えていきます。

具体的には、コードの進行を変えてみる。あるいは、ちょっと別の音を足してみる。

そんなアレンジを加えていくと、自分なりの音のフレーズができていきます。

そのうちに「自分はこのフレーズが好きなんだ」ということがわかってくるので、いくつかのフレーズパターンをストックしておき、音の流れを自然に体感できるようになれば、やがては即興演奏ができるようになります。

これは、ピアノに限らずすべての楽器に共通した身体性のなせる業《わざ》です。

英語学習も、これとまったく同じパターンの実践で習得できます。まずは基本単語を覚えて、文法や発音の基礎を学ぶところから始まります。

そこから、自分がよく使う単語や定型的な表現や言い回し、あるいは会話のなかでの応対フレーズなど、自分がよく使う表現のパターンをストックできるようになれば、やがては自分ならではの英語表現ができるようになります。

自分なりに楽器を演奏できる。自分なりに英語を話すことができる。これが知識やスキルを「自分のもの」にするということの本質でもあります。

これらは紛れもなく、自分自身が獲得した身体性なのです。

では、音楽にしても英語にしても、具体的にどのように身体性を鍛えていけばいいのか？　私が最大のポイントとしてあげたいのが「耳」のトレーニングです。

音楽を学んだり、英語を学んだりといったときの身体的なトレーニングに共通するものですが、実に多くの人が音楽や英語の「音」を耳でしっかり認識できていないように思います。そしてこのことが、音楽や英語の身体性の獲得において、大きなネックになっているようです。

音を耳で認識できているかどうか、確かめる簡単な方法があります。

音楽の場合は……聴いた曲を耳コピできるかどうか
英語の場合は……聞いた英語を発音できるかどうか

音楽で耳コピできるということは、その曲を聴いたときに自分で再現できることです。英語も同じで、聞いた英単語を自分で発音できるかということになります。

楽曲を耳コピできたり、英語を発音できたりするようになるには、聴くだけで音階や発音記号にもとづいて再現できなければなりません。

そのために必要なのが身体性の獲得であって、それには「耳」のトレーニングがうってつけなのです。

「耳のトレーニングといっても、それには相当な時間がかかるのでは？」

「それって、一部の人が持つ絶対音感という才能なのでは？」

そんな疑問もあるでしょう。

たしかに、楽器演奏や英語の習得は一朝一夕には難しいものです。ですが、プロの演奏者でも絶対音感を必ずしも持っているわけではなく、実は極めて簡単なコード進行で楽曲をつくったり、楽器を演奏したりしているのです。

英語も同様のことがいえます。受験勉強で覚えた英単語を使わないと英語を話せないのではなく、むしろネイティブは簡単な単語や文法で話をしているのです。

私たちが普段使っている日本語で考えてみると、すっきりと腹落ちするでしょう。音楽や英語の習得も、数を覚えるよりも、覚えたものの組み合わせのほうが大切なのです。どんな音と音を組み合わせるか。どんな単語と単語を組み合わせるか。その組み合わせを意識して「聴く力」を身につけてみてください。

もっとも手軽にできるおすすめのトレーニングは、洋楽を聴いたり、歌ったり、演奏したりすることです。海外の映画やドラマ、アニメを観るときに英語で観るのもいいでしょう。音楽や英語にそれぞれ集中するのではなく、融合的に学ぶことで耳のトレーニングになり、ひいては身体性の獲得につながっていくはずです。

身体性で最終的に到達したい「自分ならではの自由な即興」

身体性と思考センスについて、最後にお伝えしておきたいことがあります。

第1章で、私が伯母からもらった参考書やドリルを使って勉強したことで、一気に成績がアップしたエピソードをご紹介しました。

私は当時、ドリルを使って何度も問題を解いて、解いて、解きまくりました。

実は、これもしっかりと身体性の獲得につながっているのです。

知識やスキルを習得して伸ばしていくためには、手を使って書いて、見て覚えて、さらに書いて覚えてという作業を繰り返すことが欠かせません。暗記ではなく知識やスキルを習得して飛躍的に伸ばすには、身体を使って覚える必要があるのです。

このことについて、子どもたちの作文を例に考えてみましょう。

私のフリースクールでは、身体性を獲得するために、子どもたちに自由に作文を書いてもらう授業を重視しています。

子どもたちが書く文章というのは皆さんからすると拙《つたな》いと思うかもしれませんが、それは子どもたちの中にある言葉で文章を書こうとしているからです。

つまり文章力を養う以前に、子どもたちの身体性を鍛えているのです。

では、ゼロから文章を考えて書くための身体性のベースとなるものは何か？

それは、読書です。子どもだけでなく大人も読書を習慣にしているかどうかで、自分の中に蓄積している言葉や表現の数が大きく異なります。

読書は、言葉選びをするうえでも、文章を書くうえでも、思考センスを磨く言葉選びにおいても、大きく影響するものなのです。

だからこそ私は、子どもたちだけでなく、親御さんにも常々読書の重要性を説いています。読書の習慣が、子どもの文章力や表現力に大きな影響を与えると考えているからです。

子どもがゼロから文章を書くうえで大事なことは、いかにその子どもが多くの活字に触れているかです。楽器の演奏や英語の語彙のように、言葉や表現といったパターンを自分の中にストックできているかどうかが重要となります。むしろそれで決まるといってもいいかもしれません。

私が「いまはできるだけ多くの本を読んでおきましょう」と言って読書をすすめているのは、文章を書くときの言葉や表現の「素材」を集めることになるからです。

実はこれは、子どもたちに限らず、大人もごく自然にやっていることでもあります。

皆さんにも、こんな経験があるのではないでしょうか。

読書をしていて、知らない言葉が出てきたとします。「これって、どんな意味だろう」とネットや辞書で調べてみる。そこで言葉の意味を知って、「こんな言い回しって、なんだかかっこいいな。今度使ってみよう」といったことです。

自分が獲得した新しい言葉をまねてみたり、一部をそのまま使ったり、少しアレンジを加えて使ったり……。誰もが日頃からやっていることです。

自覚しているかどうかにかかわらず、大人も日々新たな言葉や表現を獲得して、さらに使ってみることで「自分のもの」にしているのです。

簡単にいうと、語彙力や表現力をアップさせるには、読書を通じて言葉や表現の素材を集めて使ってみることが、もっとも効率的なのです。

このような理由から、作文や文章を書くために子どもたちに読書をすすめているのですが、私が最終的に子どもたちに到達してもらいたいのは「自分ならではの自由な即興」をできるようになることです。

作文では、「自分のもの」にした言葉や表現を使って、「自分なり」の考えや意見をまとめたり、伝えたりすることが大事なポイントだからです。

繰り返しになりますが、読んだり書いたりして身体的に「自分のもの」にした言葉や表現をもとに、思考センスで使う言葉を選んで「自分なり」の考えや意見をまとめられることが、私が考える学びのゴールの1つなのです。

これは、数学や科学の世界にも通じるものがあります。

先にも述べたように、数学や科学でも、身体性が伴っていない知識は単に公式や原則を丸暗記しているだけのものです。

暗記して覚えたとしても、いずれ忘れてしまうので本当の意味での学びにはつながらず、使える知識からはほど遠いものになります。それはとても残念なことです。

一生ものの知力を身につけるということは、身体的に獲得して「自分のもの」となった知識やスキルを、自らの思考センスを発揮して「自分なり」に表現できることだと思うのです。

第6章

未来をしっかり生き抜くための「学びの羅針盤」を手に入れる

「夢×ロールモデル」の融合学習で挑戦し続ける心を鍛える

「新しい価値観や思考センスによって、新しい夢が生まれる」

私は常々、そんなことを考えています。

このことを実現するため、活躍し続ける人の「ロールモデル」を通して将来について考えるという授業を、私のフリースクールでは行っています。

ここでのロールモデルとは、「お手本」となる人物のことを指します。

自分の夢や、将来どんな仕事に就きたいのかなどを考えるとき、お手本になる人の話や仕事ぶりなどを聞いたり見たりして、「自分もこんな人になりたい」と考えること、それがロールモデルというものだと子どもたちに教えているのです。

ビジネスの世界でも、自分のキャリア形成の模範となるような存在をロールモデルと呼ぶこともあります。そうしたロールモデルから具体的な行動や思考、あるいはスキルを学ぶことができるからです。

具体的に、私のフリースクールでのロールモデルの授業では、事前に「自分のロールモデルについて調べて書いてきてください」といった宿題を出します。

すると、生徒たちはさまざまな人を取り上げて、「自分は将来この人みたいになりたい」と書いてきます。

もちろん、それで終わりではありません。

授業では、さまざまな分野で活躍し続ける人たちを特別講師として招き、実際にあったエピソードを紹介してもらいながら話をしてもらうのです。

たとえば以前、日本人女性で史上2人目の宇宙飛行士となり、2010年に国際宇宙ステーション（ISS）で短期滞在も経験した山崎直子さんに来ていただいたことがありました。

山崎さんは、どのような経緯で宇宙飛行士になったのかなどさまざまなエピソードを紹介してくれたのですが、「宇宙飛行士に興味がある」「将来は宇宙に関する仕事をしたい」という子どもたちにとって、非常にいい経験になりました。

また数年前のサマースクールには、大河ドラマをはじめ数多くの映画やドラマで活躍している女優の南沢奈央さんが来てくれました。

私のスクールには演技の学校に通っている子どもたちもいるので、とてもいい刺激になったようで、とても喜んで南沢さんの話に耳を傾けていました。

科学の世界に興味を持っている子どももたくさんいます。

そこで、恐竜研究の第一人者であり、世界中で古生物の発掘調査をしている「ダイナソー小林」の愛称でも知られる恐竜学者の小林快次《よしつぐ》さんにも来ていただきました。

すると恐竜好きの生徒はもちろん、それまで恐竜に興味がなかった子どもたちのなかにも、ある夢が生まれたようです。

「自分も恐竜を発掘してみたい!」

これが、新しい価値観や思考センスに触れることによって、新たな夢が生まれる瞬間です。私はそのときうれしくて、小躍りしたくらいでした。

ほかにも、「将来はボランティアをやりたい」という子どもたちのために、国境なき医師団会長(当時)の加藤寛幸さんを招いて話してもらったこともあります。

このように、新しい価値観や思考センスに触れさせるというのは、私のスクールに限らず、ビジネスの世界でもよくある取り組みではないでしょうか。

たとえば、企業が自社の社員のために著名な方々を招いて講演会を開催するのは、まさにそうしたロールモデル的な存在から何かしらのインスピレーションを得てほしいという意図があるからでしょう。

こうした「夢×ロールモデル」という融合学習によって、「もしかしたら自分も同じように頑張れば、この人のようになれるかもしれない。この人のように活躍できるかもしれない」という新たな目標が生まれ、そこに向かって努力していく。

私はそうした価値観の創出や努力する姿勢に心を動かされます。

それは、「あきらめられない目標」とでもいえばいいでしょうか。

もし、自分には夢がないと思っている人でも、こうした「夢×ロールモデル」という融合学習によって何かを見つけ、新たな道を切り拓いていけるかもしれません。

そのために、まずは自分のロールモデルを積極的に探してみてください。

たとえば、「自分には興味を持てるものがない」という人であっても、一度でも何かしらの専門家の話を聞いてみるだけで、自分の凝り固まった価値観や思考センスが変わることもあるのです。

そんな体験を一度でもできたら、失敗を恐れずに夢に向かってチャレンジできるようになると思います。

失敗のフィードバックを蓄えてたくましく立ち直る

失敗を恐れるあまり、チャレンジを避ける人がいます。

たしかに、失敗は嫌なものです。

失敗をすれば誰でも不安にもなりますし、落ち込みもします。

ここで、1つの例として私のエピソードをご紹介しましょう。

私は幼少時代にピアノのレッスンを受けていたことがあります。そこで学んだことは「失敗そのものは学習するな」というものです。

まだピアノを始めたばかりの下手なうちというのは、いつもだいたい同じところでつっかえてしまいます。

「ピアノが上手になりたかったら、つっかえたところで手を止めてはいけない。最後まで弾ききらないといけない」と私はピアノの先生に教わりました。

なぜなら、手を止めてしまうと「つっかえたこと」自体を学習してしまい、同じ失敗を繰り返す癖がついてしまうからです。

ピアノがなかなか上手にならなかった私は、最初はそのことを理解していませんでした。つっかえたら、つっかえたところばかりを反復練習していました。

そして反復するたびに、同じところでつっかえる。そうやって、ますます「つっかえたこと」自体を学習してしまうのです。

その繰り返しが嫌で、「ピアノなんかやめてやる」と思ったときに、先生が「たとえつっかえても、最後まで弾いてごらん」とアドバイスしてくれたのです。

このことが失敗の反復学習を防ぐフィードバックになって、私は課題を克服することができ、次第に上達のスピードが上がっていきました。

いうまでもなく科学の世界では、失敗に対するフィードバックは多くの大発見の種になります。それは、ピアノの練習でも、ビジネスの世界でも同じです。

失敗に対する改善のためのフィードバックこそ、個人の成長や組織発展のもとになると、私は考えています。

ピアノの練習でも、科学やビジネスの世界でも、失敗を恐れず、果敢にチャレンジし続けることが肝要なのです。そうやって失敗に対するフィードバックを蓄えることが、ステップアップのために必要なのです。

その一方で、いつも失敗をしないで済ませていると、人はいつかどこかで取り返しのつかない大きな失敗をしてしまうものです。

「あれほど優秀だった人が、これくらいの失敗で挫折してしまったか」という話は、枚挙に暇《いとま》がありません。

失敗を恐れてチャレンジしないことが当たり前になると、小さな失敗のフィードバックを蓄えることはできません。すると、いざ失敗をしてしまったときに、どうしようもなくなり「もうダメだ！」と挫折してしまうのです。

小さな失敗を重ねた人は、たいていの失敗ならうまく立ち直れます。チャレンジを続けていると、いつかどこかで大きな成功をつかむこともできます。

とはいうものの、失敗を前向きに捉えてフィードバックを蓄えるのは、それほど簡単なことではありません。人は失敗を隠したがるものですし、失敗と正面から向き合いたいとは思わないでしょう。

人は失敗をしたとき、強い動悸《どうき》を感じたり、冷たい汗をかいたりしますが、それは不安という感情の現れです。

失敗をすると、自分の安全が脅かされるからです。

人はそのことを本能的に知っています。

失敗をすると、「なんでそんなことをやっているんだ」「責任を取れ」などと責められる風潮が日本には残っているからではないでしょうか。

私たちは、こうした風潮にそろそろ終止符を打って、考え方を切り替えるときが来ているのだと自覚すべきだと思います。

誰もが、失敗を望んでチャレンジをしているわけではありません。

失敗は不確実な未来に挑戦した結果ですから、私たちは失敗を通して不確実性を学べるということを知るべきなのです。

失敗したときに必要なのは、不確実性を許容する周囲の理解と、失敗して不確実性に翻弄されている自分を冷静に客観視するというマインドです。

この2つがなければ、失敗をしたときに「失敗した。どうしよう……」と落ち込み、周囲の「責任を取れ」という雰囲気にたちまち支配されてしまいます。

すると、ますます気持ちが後ろ向きになってチャレンジを避けてしまう。

失敗に対する捉え方自体を変えてみることが大切なのです。

NASAの共通認識は「失敗は起こってしまうもの」

私が以前、ナビゲーターを務めていた『サイエンスZERO』というテレビ番組のゲストに、宇宙飛行士の古川聡さんをお迎えしたことがありました。

その時期は年末だったこともあり、収録の終わりに番組スタッフを含めた忘年会が催され、その会に古川さんもご参加くださり、いろいろな話をうかがいました。

古川さんは、その日にテレビ番組の収録を2本もこなし、疲れていたはずなのに、明るい表情で興味深い話をしてくださいました。とても人当たりがよく、私は「根っからのいい人なんだな」という印象を抱きました。

そんな古川さんが、アメリカのNASAで訓練を受けていたときのエピソードは、失敗に対するアメリカと日本の考え方の違いを印象づけるものでしたので、ご紹介したいと思います。

ある日、古川さんがNASAの近くを車で走っていると、信号機が壊れていたそうです。交差点の真ん中に四角形の信号機があり、壊れるとすべて赤点滅になるそうです。そのため壊れたということが、すぐにわかるのです。

このように信号機が壊れていても、人々は淡々と交差点に入っていき、譲り合いながら、うまく通り抜けていくそうです。

日本人が同じ状況に直面したとき、そこまで冷静に対応できるかどうかは疑問ですが、なぜアメリカではみんなが落ち着いて譲り合えるのか？

それは、アメリカの社会は「人は失敗をする」ということが前提で成り立っているからだと、古川さんはおっしゃいました。

アメリカ人の多くは「運悪く失敗に出くわしたときでも、普段通りに落ち着いて対応するべきだ」という考え方が子どものときから身についていて、だからこそどんなに酷い失敗に遭遇してもみんなが冷静さを保てるのだそうです。

また、こんな話もしてくださいました。

あるとき、古川さんのアメリカでの自宅の水道管が詰まって水が出なくなってしまったことがあったといいます。

「さあ、困った」と思って電話で修理を頼んだら、「わかった。これから行く」と返事がありました。

それで「ああ、よかった」と安心していたら、約束の時間になっても誰も来ない。その後、何時間も待ったのに誰も来ない……。

あらためて電話をしてみると、手違いがあって話が通っていなかったことがわかりました。古川さんが辛抱強く経緯を説明したことで、ようやく修理のスタッフが来てくれたのですが、そのとき修理のスタッフから謝罪らしき言葉はまったくなかったそうです。

さすがの古川さんも「これは、いくら何でも酷いんじゃないか」と思って、やんわりと抗議をしたところ、「Nobody's perfect.（誰も完璧じゃない）」のひと言で済まされたそうです。「よくあることだろ？」と。

日本では考えられないことですよね（笑）。

「でも、アメリカでは、実際よくあることなんです」

古川さんは陽気に笑って、次のようなことをおっしゃいました。

たしかに、アメリカでは「Nobody's perfect.（誰も完璧じゃない）」という考え方がベースにあります。「誰もが失敗をする。うまくいかないこともよく起きる」という前提がシェアされているため、社会全体に「遊び」のようなものが生まれ、それが潤滑油となって、社会のシステムがうまく回っているのでしょう。

これは、アメリカ社会のいい一面だと私は感じました。

ところでNASAといえば、宇宙飛行士を宇宙に送り出すという、まさに人の命にかかわる仕事をしている組織です。

そういう組織は、日本人の感覚で想像すると「絶対に失敗が許されない組織」だと考えがちです。

ですが古川さんによれば、実際のNASAは「失敗は起こってしまうもの。とにかく失敗を減らすように、みんなで協力してやっていこうじゃないか」という認識が徹底的にシェアされている組織だそうです。

こうした雰囲気は、日本の社会にはあまり見られないように私は思います。

「失敗は起こってしまうもの」というNASAのような共通認識が日本の社会にも少しでも広がっていけば、もっと新たなチャレンジが増えていくはずです。

1％のファンのために
カメラをつくるペンタックスの挑戦

「新しいプロジェクトを立ち上げる」

「新しい商品を開発する」

こうしたことは、いつの時代においてもビジネスで生き残るためにとても重要なことです。

これら新規事業を推し進めていくとき、一般的には個々でアイデアを練って社内の会議で検討し、上司やさらにその上の役員や社長のＯＫが出たら、無事にスタートを切ることができます。

その半面、どんなに斬新でいいアイデアだとしても、上司や役員、社長のＯＫが出なければ新規事業を進めることはできないでしょう。そのような歯がゆい経験をしたことがあるビジネスパーソンも多いのではないでしょうか。

最近、私が思うのは、いまの時代はＳＮＳなどを駆使すると簡単に外の世界とつながることができるのではないか、ということです。

どういう意味かといえば、もし社内で新規プロジェクトや新商品開発などを進められないのであれば、SNSなどを通じてクラウドファンディングを立ち上げる方法もあるということです。

クラウドファンディングとは、「群衆（クラウド）」と「資金調達（ファンディング）」を組み合わせた造語で、インターネットやSNSを介して不特定多数の人たちから少額ずつ資金を調達することです。

「新しいプロジェクトを立ち上げたい」「まだ世の中にない新商品を開発したい」といったアイデアや想いを持つ人は誰でも発案者としてアイデアを発信でき、それに共感して「応援したい」と思った人は誰でも支援者として投資できるのがクラウドファンディングの特徴だといえます。

もし、社内でOKが出ないときなど、クラウドファンディングを立ち上げてみたら賛同者がいたとしましょう。すると、「これだけの賛同者がいるわけですから、このプロジェクト（商品開発）を進める価値はあるのではないでしょうか」と上司や役員、社長を説得する材料にもなるわけです。

ここで、参考にしていただきたい事例を1つご紹介しましょう。

ペンタックスといえば、誰もが知るカメラブランドです。

ただ、昨今はカメラが売れない時代といわれ、ペンタックスをはじめとするカメラブランドは苦戦を強いられているようです。

ほかのカメラブランドが大量生産という戦略をとったなか、ペンタックスがとった戦略、それこそがクラウドファンディングの利用による新製品開発でした。

2023年3月下旬、クラウドファンディングで公開した新製品開発プロジェクトは、多くのカメラファンの注目を集め、たった1カ月で目標の倍となるおよそ2000万円を集めたのです。

この新製品プロジェクトは、カメラ本体すべてが黒色の「Jet Black」というモデルの開発で、クラウドファンディングの支援者たちの「ファンミーティング」のアンケートによって誕生したカメラです。

クラウドファンディングによってファンを集め、そのファンの声をもとに新製品を開発する。なかなか面白いビジネス戦略だと思いませんか？

さらに、私が感銘を受けたのは、ペンタックスが出した声明です。

「私たちがつくるカメラは、ペンタックスを愛してくださる1%の人に売れればいい」

これがどのようなことかといえば、ペンタックスのカメラが好きだという人はそれなりに大勢いるなかで、その1%の人がカメラを買ってくれれば、会社として存続できる、ということ。つまり、その1%の人に向けたカメラをつくり続けることで夢を与えることができるという意図があるのです。

私はカメラが大好きで、ペンタックスのカメラの愛用者でもあります。

残念ながら「Jet Black」は買えなかったのですが、そのあとに発売されたモノクロしか撮れないカメラを購入しました。これもまた、ファンミーティングのアンケートで生まれた製品であり、人気機種となっています。

こうしたペンタックスの新製品開発は、まさにネットやSNSが普及したからこその戦略だといえます。

このような戦略で新規ビジネスを推し進めることができるということも、未来社会を生き抜くヒントになるのではないでしょうか。

好きな分野を見つけて誰よりも「オタク」であり続ける

本書の「はじめに」で、いま世の中で活躍し続けている人のほとんどが、ある専門分野におけるオタクであると述べました。

いまの時代の最先端を突っ走る人たちや、世界を席巻するようなイノベーションを起こした人たち。彼らに共通するのが「オタクである」ということを、最後にお伝えしたいと思います。

「Apple」と聞けば、誰もがスティーブ・ジョブズのことを思い浮かべるでしょうが、Appleを語るうえで欠かせない存在がスティーブ・ウォズニアックという人物です。

ウォズニアックはわずか13歳のときにトランジスタを組み合わせてコンピュータをつくり、科学コンクールに優勝したという、まさに天才でした。

そんなウォズニアックとジョブズが出会ったのが、1971年のヒューレット・パッカードでのインターンシップでした。もし、ウォズニアックがジョブズに出会っていなければ、ウォズニアックはガレージでコンピュータをいじる単なるオタクで終わっていたかもしれません。

ウォズニアックの技術に、ジョブズがストーリーをつくって世に送り出したからこそ、Appleはここまでの大企業へと成長を遂げることができたのでしょう。

そして、現代におけるオタクといって思い浮かぶのが、イーロン・マスクです。

イーロン・マスクは、もともとペンシルベニア大学で物理学と経済学を専攻していました。地球と経済がどのような仕組みで動いているかを学ぶことが、彼の当初の目的だったようです。

その後、スタンフォード大学大学院に進学して高エネルギー物理学を学ぶはずが、たった2日在籍しただけで退学してしまいます。

その理由は、ちょうどその頃にインターネットが急速に普及し始めており、ウェブサイトの開発などを支援するソフトウェアを新聞などのメディアに提案するアイデアがひらめいて、インターネットの世界に飛び込むことを決意したことです。

ちなみに、イーロン・マスクもコンピュータオタクで、10歳でプログラミングを独学でマスターし、12歳のときには自作の対戦ゲームソフトを売っていたというエピソードがあります。

そんなイーロン・マスクは、宇宙開発企業である「スペースX」や、電気自動車企業の「テスラ」、そして「PayPal」の前身である「X.com」の創設者として、X（旧Twitter）を買収したことでも有名です。

誰も思いつかないような発想力と、自分の好きなことをただひたすら追いかける情熱。まさにいまでは世界一のオタクといっても過言ではないでしょう。

なぜ、彼らはこれほどの成功を手にできたのか。

才能？　センス？　それとも運？　私は、このどれでもないと考えています。

彼はただ、自分の好きなことを誰よりも先に追求してきただけなのです。

世間から見れば、あたかも時代を引っ張っているように見えるかもしれませんが、本当はそうではない。誰よりもその分野のオタクであり続けたということなのだと思います。

私はよく、クリエイターとオタクは同じマインドであると表現しますが、たまたま何らかの形で脚光を浴びたオタクがクリエイターと呼ばれているだけで、持っている能力にさほど差はないと思うのです。

いまＡＩの研究で最先端にいる研究者も同じです。

彼らは、「きっとＡＩの時代が来る。誰よりも最先端の研究をするぞ」という意欲で研究してきたわけではなく、単に好きだから、面白いからやっていただけではないでしょうか。そして気づいたら、最先端にいたということだと思います。

たまたまＡＩという研究がいまの時代にマッチした。だから、たまたま脚光を浴びているだけで、ひょっとしたら彼らもスポットライトを浴びることのないコンピュータオタクで終わっていたかもしれません。

結局のところ「好きこそものの上手なれ」。これからの未来社会を生き抜くもっとも有効な方法が「好きなことを続ける」ことではないかと思います。

ただひたすら、自分の好きなことをやり続ける。

もしそこに、時代の流れや人々が共感するようなストーリーをつくることができれば、間違いなく皆さんのオタク性が日の目を見ることになるでしょう。

皆さんの学びが充実したものになるよう願っています。

参考文献

はじめに

1 https://www.nri.com/jp/knowledge/report/lst/2023/cc/0526_1

2 https://jima-news.com/archives/aw_compass/3619

第1章

1 https://www.epson.jp/products/bizprojector/ekokuban/knowhow/pbl.htm

第2章

1 https://www.u-tokyo.ac.jp/ja/admissions/adm-data/e01_011.html

第4章

1 独立行政法人経済産業研究所「ＡＩが雇用に与える影響：最近の研究動向」 https://www.rieti.go.jp/jp/publications/pdp/20p009.pdf

2 https://xtrend.nikkei.com/atcl/contents/18/00727/00001/?i_cid=nbpnxr_parent（日経クロストレンド「オートノマス・ストア」最新リポート）

【著者紹介】

竹内　薫（たけうち・かおる）

◉――1960年東京生まれ。サイエンス作家。理学博士。東京大学教養学部、同理学部を卒業。カナダ・マギル大学大学院博士課程修了（高エネルギー物理学専攻）。大学院を修了後、サイエンス作家として活動し、物理学の教科書や科学評論を中心に200冊あまりの著作物を発刊している。テレビ、ラジオ、講演などで精力的に活動しているほか、YESインターナショナルスクールを設立して校長を務めている。

東大卒《とうだいそつ》エリートの広《ひろ》く深《ふか》い学《まな》び方《かた》

2024年３月18日　　第１刷発行

著　者――竹内　薫

発行者――齊藤　龍男

発行所――株式会社かんき出版

東京都千代田区麹町4-1-4 西脇ビル　〒102-0083

電話　営業部：03(3262)8011㈹　編集部：03(3262)8012㈹

FAX　03(3234)4421　　　振替　00100-2-62304

https://kanki-pub.co.jp/

印刷所――図書印刷株式会社

　ISBN978-4-7612-7727-7 C0030

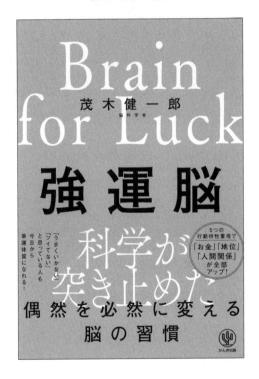